RUSSISCHE ERZÄHLUNGEN

DIE BIBLIOTHEK VON BABEL

Eine Sammlung phantastischer Literatur
herausgegeben von JORGE LUIS BORGES

RUSSISCHE ERZÄHLUNGEN

Mit einem Vorwort von Jorge Luis Borges

BÜCHERGILDE GUTENBERG

INHALT

VORWORT

Wir können uns Dostojewski (1821–1881) gar nicht anders als eine Figur von Dostojewski vorstellen. In seinem Leben kommen Armut, Verschwörung, Verurteilung, sibirischer Kerker, Demütigung, Alkohol, Spiel, Epilepsie und dazu – wie bei allen Menschen – Glück und Unglück vor. Aber diese mannigfaltigen Lebensumstände, die unser anfängliches Bild zu bestätigen scheinen, verblassen vor einer einzigen Tatsache: seinem gewaltigen und vielfältigen literarischen Schaffen.

Der typische Dostojewskische Held verstrickt sich in Schuld und gelangt nach einem langen, mühsamen Weg der Erkenntnis zur Beichte und Reue – wir können ihn uns nicht als jemanden denken, der Tag für Tag mit der schwierigen Tätigkeit des Dichtens beschäftigt ist. Wenn Dostojewski Raskolnikoff war, so in dem Maß, wie Shakespeare die *drei Hexen* oder *Hamlet* war oder wie Cervantes *Alonso Quijases* Ende geschrieben. Die großartige Erzählung, die wie eine persönliche Erfahrung unsere Weltanschauung zu verändern vermag, hält uns gleich einem Spiegel Andreevs schmerzliches Schicksal vor Augen.

Die Behauptung, daß die letzte Erzählung in dieser Reihe eine der wundervollsten ist, die die Literatur für uns bereithält, ist keine Übertreibung. Theologisch ausgedrückt, ist ihr Grundthema das der Erlösung durch die Gnade und nicht durch das Wirken. Aber solch abstrakte Feststellung läuft Gefahr, die Heilsgewißheit und unerwartete Herrlichkeit der letzten Seiten zu verflachen.

In den beiden vorhergehenden Texten ist das Phantastische von Anfang an deutlich erkennbar. In *Der Tod des Iwan Iljitsch* von Leo Tolstoi (1828–1910) wird uns die zwangsläufige, wunderbare und überirdische Offenbarung erst am Schluß, als letzte Erfahrung einer Seele, zuteil.

Die Lektüre dieses großartigen Textes von dem zu Recht berühmten Tolstoi, in dem sich Menschenkenntnis mit literarischer Vollkommenheit vereint, sollte man sich nicht versagen.

JORGE LUIS BORGES

DAS KROKODIL
EINE UNGEWÖHNLICHE BEGEBENHEIT

FJODOR M. DOSTOJEWSKI

1

Am dreizehnten Januar des Jahres 1865 gegen halb ein Uhr vormittags äußerte Jelena Iwanowna, die Gattin Iwan Matwejewitschs, meines gebildeten Freundes, Kollegen und entfernten Verwandten, den Wunsch, das Krokodil zu sehen, das in der Passage gegen Eintrittsgeld gezeigt wurde. Iwan Matwejewitsch hatte bereits seinen Auslandspaß (weniger krankheitshalber als aus Liebe an der Kultur) in der Tasche, war also auf Urlaub und daher an diesem Morgen vollkommen frei. Daher widersprach er nicht nur keineswegs dem unbezwingbaren Wunsch seiner Gattin, sondern wurde sogar selbst von ihrer Neugier angesteckt. »Eine ausgezeichnete Idee«, sagte er zufrieden, »sehen wir uns das Krokodil an! Ehe man nach Europa reist, ist es gut, sich mit den Einwohnern jener Länder vertraut zu machen.« Mit diesen Worten reichte er seiner Frau den Arm und begab sich mit ihr in die *Passage*. Ich begleitete sie nach alter Gewohnheit – als alter Freund des Hauses. Noch nie hatte ich Iwan Matwejewitsch so guter Laune gesehen wie an jenem denkwürdigen Morgen – es stimmt doch, daß wir unser Schicksal nicht voraussehen! Als er die *Passage* betrat, begeisterte er sich sogleich an der Pracht des Gebäudes, und als er sich dem Geschäft näherte, in dem das neu in die Hauptstadt importierte Ungeheuer zu sehen war, erbot er sich von selber, die fünfundzwanzig Kopeken Eintrittsgeld für mich zu bezahlen – was bisher nie vorgekommen war. Als wir den kleinen Raum betraten, sahen wir, daß darin außer dem Krokodil noch Papageien von der exotischen Rasse der Kakadus zu sehen waren und außerdem, in einem besonderen Käfig in einer Nische, eine Gruppe Affen. Gleich neben dem Eingang an der linken Wand stand ein großer Blechkasten, in Form einer Badewanne, der mit einem starken Drahtgitter bedeckt war; auf seinem Grund stand etwa ein Zoll Wasser. In dieser dürftigen Pfütze wurde ein riesiges Krokodil gehalten, das regungslos wie ein Baumstamm dalag und offenbar in unserem kalten und Ausländern wenig freundlichen Klima seine sämtlichen Fähigkeiten verloren hatte. Dieses Ungetüm erweckte anfangs bei keinem von uns besonderes Interesse.

»Das ist also das Krokodil!« sagte Jelena Iwanowna gedehnt und bedauernd, »und ich dachte, daß es … irgendwie anders sei.«

Vermutlich dachte sie, daß es aus Brillanten sei. Der eben herauskommende Deutsche, der Eigentümer des Krokodils, musterte uns überaus stolz.

»Er hat recht«, flüsterte mir Iwan Matwejewitsch zu, »denn er weiß, daß er als einziger in ganz Rußland ein Krokodil vorführt.«

Diese völlig sinnlose Bemerkung halte ich ebenfalls der ungewöhnlich guten Laune Iwan Matwejewitschs zugute, der ansonsten recht neidisch war.

»Ich glaube, Ihr Krokodil ist gar nicht lebendig«, sagte Jelena Iwanowna wiederum und wandte sich, pikiert über die Schroffheit des Besitzers, mit einem graziösen Lächeln an ihn, um diesen Grobian sich geneigt zu machen – ein höchst bezeichnendes, weibliches Manöver.

»O nein, *Madame*«, erwiderte dieser in gebrochenem Russisch und öffnete sogleich das Gitter des Kastens bis zur Hälfte, um das Krokodil mit einem Stock am Kopf zu kitzeln.

Darauf bewegte das heimtückische Ungeheuer, um einen Beweis seiner Lebendigkeit zu geben, leicht die Pfoten und den Schwanz, hob den Rachen und stieß etwas wie ein anhaltendes Fauchen aus.

»Na, beruhige dich, Karlchen«, sagte der Deutsche freundlich und mit befriedigter Eitelkeit.

»Was für ein ekelhaftes Tier, so ein Krokodil! Ich bin sogar erschrocken«, lispelte Jelena Iwanowna kokett, »es wird mir im Traum erscheinen.«

»Aber er wird Ihnen im Traum nicht beißen, *Madame*«, fiel der Deutsche höflich ein und begann als erster selber über seinen geistreichen Witz zu lachen, doch keiner antwortete ihm.

»Kommen Sie, Semjon Semjonowitsch«, sagte Jelena Iwanowna, ausschließlich an mich gewendet, »wir wollen uns die Affen ansehen. Ich liebe Affen schrecklich; sie sind so reizend ... aber das Krokodil ist scheußlich.«

»Oh, keine Angst, Liebste«, rief Iwan Matwejewitsch uns nach, der offenbar vor seiner Gattin prahlen wollte. »Dieser schläfrige Bewohner des Pharaonenreiches wird uns nichts tun«, und er blieb bei dem Kasten stehen. Und nicht genug damit, nahm er seinen Handstecher und begann das Krokodil an der Nase zu kitzeln, um, wie er später gestand, es wieder zum Fauchen zu bringen. Der Besitzer folgte Jelena Iwanowna als der Dame höflich zum Käfig mit den Affen.

Soweit ging alles vortrefflich, und es war nichts Böses vorauszusehen. Jelena Iwanowna ergötzte sich bis zum Übermut an den Affen und war von ihnen ganz eingenommen. Sie schrie vor Vergnügen, redete unausgesetzt mit mir, als wollte sie dem Besitzer absichtlich keine Beachtung schenken, und lachte über die von ihr wahrgenommenen Ähnlichkeiten dieser Meerkatzen mit ihren nahen Bekannten und Freunden. Ich geriet ebenfalls in beste Laune, denn die Ähnlichkeit war unverkennbar. Der deutsche Besitzer wußte nicht, ob er mitlachen sollte oder nicht, und zog schließlich ein finsteres Gesicht. Und in diesem Augenblick erschütterte ein schrecklicher, ich möchte fast sagen übernatürlicher Schrei den Raum.

Ohne zu wissen, was ich denken sollte, erstarrte ich zunächst auf der Stelle; aber als ich hörte, daß Jelena Iwanowna schrie, drehte ich mich rasch um und – was mußte ich erblicken! Ich sah – o Gott! ich sah den unglücklichen Iwan Matwejewitsch in den schrecklichen Kiefern des Krokodils, das ihn quer um den Leib gefaßt hatte und ihn hoch in die Luft hob, wo er verzweifelt mit den Beinen strampelte. Noch einen Augenblick – und er war verschwunden. Aber ich will alles der Reihe nach erzählen, denn ich stand die ganze Zeit über regungslos da und konnte den ganzen sich vor meinen Augen abspielenden Vorgang mit einer derartigen Genauigkeit und Aufmerksamkeit verfolgen wie noch nie. Denn, dachte ich in diesem Augenblick, wie, wenn an Stelle von Iwan Matwejewitsch dies alles dir widerfahren wäre – wie unangenehm!

Doch zur Sache. Das Krokodil drehte zunächst den armen Iwan Matwejewitsch in seinen schrecklichen Kiefern mit den Beinen zu sich und verschluckte zuerst die Beine; nach einem leichten Rülpsen sog es den armen Iwan Matwejewitsch, der zu entspringen suchte und sich mit den Händen an den Kasten klammerte, bis über den Gürtel ein. Dann rülpste es wieder und schluckte noch ein paar Male. Auf diese Art entschwand Iwan Matwejewitsch zusehends unseren Augen. Mit einer endgültigen Schluckbewegung schließlich sog das Krokodil meinen gebildeten Freund ganz ein, und diesmal restlos. Man konnte von außen verfolgen, wie Iwan Matwejewitsch in allen seinen Konturen in das Innere des Krokodils glitt. Ich wollte eben wieder einen Schrei ausstoßen, als sich das Schicksal plötzlich noch einen schlechten Scherz mit uns erlaubte: das Krokodil zog sich zusammen, da ihm die Ausmaße des von ihm verschlungenen Gegenstandes offenbar Beschwerden bereiteten, öffnete seinen scheußlichen Rachen noch einmal, während aus diesem, im Augenblick des letzten Rülpsers, plötzlich für eine Sekunde Iwan Matwejewitschs Kopf herausfuhr, mit einem verzweifelten Gesichtsausdruck, wobei ihm die Brille von der Nase auf den Boden des Kastens fiel. Es schien, als guckte dieses verzweifelte Gesicht nur deshalb hervor, um noch einen letzten Blick auf alles zu werfen und in Gedanken Abschied von den Freuden dieser Welt zu nehmen. Aber es konnte seine Absicht nicht verwirklichen: das Krokodil nahm seine Kräfte zusammen, schluckte noch einmal, er verschwand aufs neue, und diesmal für immer.

Dieses Erscheinen und Wiederverschwinden eines lebenden Menschenkopfes war schrecklich und hatte zugleich – vielleicht durch die Schnelligkeit und Absonderlichkeit des Vorgangs oder durch die von der Nase fallende Brille – etwas derartig Komisches an sich, daß ich ganz unerwartet herausplatzte; doch als mir zum Bewußtsein kam, daß Lachen in einem solchen Augenblick für mich als alten Hausfreund unschicklich war, wandte ich mich sogleich an Jelena Iwanowna und sagte mit teilnehmendem Blick: »Jetzt ist unser Iwan Matwejewitsch *kaputt*.«

Es ist unmöglich zu schildern, in was für einer Aufregung sich Jelena Iwanowna während des ganzen Vorgangs befand. Zuerst, nach dem ersten Schrei, blieb sie wie erstarrt stehen und verfolgte das ganze Durcheinander anscheinend gleichgültig, mit ungewöhnlich weit aufgerissenen Augen; dann brach sie plötzlich in ein durchdringendes Schluchzen aus, aber ich ergriff ihre Hände. In diesem Augenblick schlug der Besitzer, der anfänglich ebenfalls starr vor Schrecken dagestanden hatte, die Hände zusammen und schrie, den Blick zum Himmel gerichtet: *»O mein Krokodil, o mein allerliebstes Karlchen! Mutter, Mutter, Mutter!«*

Auf dieses Geschrei hin öffnete sich die hintere Tür, und *Mutter* erschien in einem Häubchen, rosig, ältlich, aber schlampig angezogen, und stürzte winselnd auf ihren Deutschen zu.

Nun begann ein wahres Sodom. Jelena Iwanowna schrie verzweifelt nur das eine Wort: »Hauen, hauen!« und stürzte sich auf den Besitzer und seine Mutter und bat sie, offenbar in völliger geistiger Verwirrung, irgend jemand für irgend etwas aufzuschlitzen. Der Besitzer und *Mutter* jedoch schenkten keinem von uns die geringste Aufmerksamkeit, sie heulten wie die Kälber vor dem Kasten.

»Er sein kaputt, er werden gleich geplatzt, weil er hat ganz Beamtes gefressen!« schrie der Besitzer.

»*Unser Karlchen, unser allerliebstes Karlchen wird sterben!*« schluchzte die Frau.
»Wir sein verwaist und ohne Brot!« fiel der Besitzer wieder ein.
»Aufschlitzen, aufschlitzen!« schluchzte Jelena Iwanowna und klammerte sich an den Rock des Deutschen.
»Er hat geneckt *Krokodil*! Warum hat Ihr Mann *Krokodil* geneckt!« schrie der Deutsche, sich losreißend. »Sie zahlen, wenn *Karlchen* wird platzen – *das war mein Sohn, mein einziger Sohn!*«
Ich gestehe, ich war außer mir vor Entrüstung über diesen Egoismus des zugereisten Deutschen und die Herzlosigkeit seiner zerzausten *Mutter*; trotzdem beunruhigten mich die unaufhörlich wiederholten Worte Jelena Iwanownas: »Aufschlitzen, aufschlitzen!« noch mehr und lenkten endlich meine ganze Aufmerksamkeit auf sich, so daß ich sogar erschrak … Ich schicke voraus – diese sonderbaren Ausrufe wurden von mir völlig falsch verstanden; ich glaubte, daß Jelena Iwanowna für einen Augenblick den Verstand verloren hätte und, um den Tod ihres lieben Iwan Matwejewitsch zu rächen, als ihr zukommende Genugtuung verlangte, das Krokodil aufzuschlitzen. In Wirklichkeit meinte sie etwas ganz anderes. Mit verlegenem Blick auf die Türe begann ich Jelena Iwanowna zuzureden, sich doch zu beruhigen und vor allem das peinliche Wort »aufschlitzen« nicht auszusprechen. Denn ein solcher reaktionärer Wunsch

hier, im innersten Herzen der Stadt und der gebildeten Gesellschaft, wenige Schritte von der *Passage* und dem Saal entfernt, in dem vielleicht Herr Lawrow[1] eben einen Vortrag hielt, war nicht nur unmöglich, sondern sogar undenkbar und konnte uns jeden Augenblick dem Spott der gebildeten Gesellschaft und den Karikaturen des Herrn Stepanow[2] aussetzen. Zu meinem Entsetzen wurde mein ängstlicher Verdacht sogleich bestätigt; plötzlich teilte sich der Vorhang, der die Krokodilbude vom Eingangsraum trennte, in dem die Fünfundzwanzigkopekenstükke eingesammelt wurden, und auf der Schwelle erschien, die Mütze in der Hand, eine bärtige Gestalt, die den oberen Teil ihres Körpers weit vorbeugte und sehr darauf bedacht war, ihre Füße hinter der Schwelle der Krokodilbude zu halten, um nicht des Rechtes, keinen Eintritt zu bezahlen, verlustig zu gehen.

»Ein solch reaktionärer Wunsch, gnädige Frau«, sagte der Unbekannte, wobei er sich anstrengte, nicht vornüberzufallen und mit den Füßen hinter der Schwelle zu bleiben, »macht Ihrer Bildung wenig Ehre und wird durch den Mangel an Phosphor in Ihrer Gehirnrinde bedingt. Sie werden alsbald in der

[1] Bekannter radikaler Philosoph und Publizist, lebte später als Emigrant in der Schweiz (Anmerkung des Übersetzers).

[2] Berühmter Karikaturenzeichner, Hauptmitarbeiter des liberalen Witzblattes »Iskra« (Anmerkung des Übersetzers).

Geschichte des Fortschritts und in unseren satirischen Schriften ausgepfiffen werden ...«

Aber er kam nicht weiter; der wieder zu sich gekommene Budenbesitzer hatte mit Entsetzen einen Menschen erblickt, der in seiner Bude sprach, ohne bezahlt zu haben, und stürzte sich in wilder Wut auf den fortschrittlichen Eindringling und puffte ihn mit beiden Fäusten hinaus. Einen Augenblick lang verschwanden beide hinter dem Vorhang, und nun endlich begriff ich, daß der ganze Wirrwarr umsonst war. Jelena Iwanowna war völlig schuldlos; sie dachte nicht daran, wie schon oben bemerkt, das Krokodil der reaktionären und erniedrigenden Prügelstrafe zu unterziehen, sondern hatte nur einfach gewünscht, dem Krokodil mit einem Messer den Bauch auseinanderzuhauen und auf diese Weise Iwan Matwejewitsch aus seinem Inneren zu befreien.

»Was? Sie wollen mein *Krokodil* kaputtmachen?« heulte der wiedergekehrte Budenbesitzer, »nein, lieber soll zuerst Ihr Mann und dann mein *Krokodil* kaputt sein ... *Mein Vater* hat gezeigt diesen *Krokodil*, *mein Großvater* hat gezeigt diesen *Krokodil*, *mein Sohn* wird zeigen diesen *Krokodil*, und ich werde zeigen diesen *Krokodil*. Alle werden zeigen diesen *Krokodil*. Ich *ganz* Europa berühmt, Sie *ganz* Europa unberühmt, und mir Sie zahlen Strafe.«

»*Ja, ja!*« fiel die Deutsche wütend ein, »wir nicht erlauben Strafen, wenn *Karlchen* platzt!«

»Es hat auch keinen Zweck mehr«, sagte ich, um

Jelena Iwanowna möglichst bald nach Hause zu bringen, »denn unser lieber Iwan Matwejewitsch schwebt wahrscheinlich schon in höheren Regionen.«

»Lieber Freund«, erklang in diesem Augenblick ganz unerwartet die Stimme Iwan Matwejewitschs, was uns alle höchlichst verwunderte. »Lieber Freund, meine Meinung ist, du wendest dich direkt an die Kanzlei des Polizeichefs, denn ohne Nachhilfe der Polizei wird dieser Deutsche die Wahrheit nie begreifen.«

Diese gewichtig vorgetragenen und von ungewöhnlicher Geistesgegenwart zeugenden Worte verwunderten uns anfänglich dermaßen, daß wir alle unseren Ohren nicht trauen wollten. Aber selbstverständlich liefen wir sofort auf den Kasten mit dem Krokodil zu und hörten dem unglücklichen Gefangenen mit ebensoviel Andacht als Mißtrauen zu. Seine Stimme klang stark gedämpft, dünn und sogar kreischend, als käme sie aus ziemlich weiter Entfernung. Es machte den Eindruck, als hielte sich ein Spaßvogel im Nebenzimmer versteckt, preßte sich ein gewöhnliches Kopfkissen vor den Mund und schrie nun, um dem im anderen Zimmer befindlichen Publikum vorzumachen, wie zwei in der Steppe umherirrende oder durch eine tiefe Schlucht getrennte Bauern sich gegenseitig etwas zurufen – ein Scherz, den ich einmal zu Weihnachten bei Bekannten zu hören die Ehre hatte.

»Iwan Matwejewitsch, mein lieber Freund, du bist also gesund?« stammelte Jelena Iwanowna.

»Gesund und munter«, erwiderte Iwan Matwejewitsch, »dank dem Allmächtigen bin ich ohne jede Körperverletzung verschlungen worden. Mich beunruhigt nur das eine, wie meine Vorgesetzten diese Episode betrachten werden, denn mit einem Auslandspaß in den Bauch eines Krokodils zu geraten ist nicht sehr witzig ...«

»Ach, mein Freund, kümmere dich nicht um den Witz; vor allem muß man dich irgendwie herauszerren«, unterbrach ihn Jelena.

»Zerren!« schrie der Besitzer, »ich nicht lasse zerren mein *Krokodil*! Jetzt werden kommen sehr viele *Publikum*, und ich kann nehmen *fuffzig* Kopeken, und *Karlchen* werden nicht platzen!«

»Gott sei Dank!« fiel seine Mutter ein.

»Sie haben recht«, bemerkte Iwan Matwejewitsch, »das ökonomische Prinzip geht allem voran.«

»Mein Freund!« rief ich. »Ich fliege sofort zu den Behörden und beschwere mich, denn ich ahne, daß wir allein diese Suppe nicht auslöffeln können!«

»Das meine ich auch«, bemerkte Iwan Matwejewitsch, »aber ohne ökonomische Kompensation ist es in unserer Zeit der Wirtschaftskrise schwierig, einem Krokodil den Bauch gratis aufzuschlitzen, und daraus ergibt sich die nicht zu umgehende Frage: Was verlangt der Besitzer für sein Krokodil? Und die zweite Frage: wer bezahlt es? Denn du weißt, ich habe keine Mittel ...«

»Wenn du vielleicht einen Vorschuß ...«, bemerkte ich

schüchtern, aber der Besitzer des Krokodils unterbrach mich sofort: »Ich nicht verkaufen *Krokodil*, ich für dreitausend verkaufen *Krokodil*, ich für viertausend verkaufen *Krokodil*! Jetzt werden kommen sehr viel *Publikum*! Ich für fünftausend verkaufen *Krokodil*!«

Mit einem Wort, er tat ungemein wichtig. Eigennutz und schändliche Habgier leuchteten freudig aus seinen Augen.

»Ich fahre!« rief ich entrüstet.

»Ich auch! Ich auch! Ich fahre direkt zu Andrej Osipowitsch und erweiche ihn durch meine Tränen«, jammerte Jelena Iwanowna.

»Tu das nicht, meine Liebe«, unterbrach Iwan Matwejewitsch sie hastig, denn er war schon längst auf Andrej Osipowitsch eifersüchtig und wußte, daß sie sehr gerne vor Gebildeten weinte, weil Tränen ihr sehr gut zu Gesicht standen. »Auch dir, lieber Freund, rate ich es nicht«, fuhr er, an mich gewandt, fort; »es ist sinnlos, wild in der Gegend herumzufahren. Wer weiß, was dabei herauskommen kann. Fahr lieber heute als privater Besuch zu Timofej Semjonowitsch. Er ist ein altmodischer und beschränkter Mensch, aber solide und vor allem ehrlich. Bestelle ihm einen Gruß von mir und schildere ihm die ganze Sachlage. Ich schulde ihm von der letzten Whistpartie noch sieben Rubel, die gib ihm bei dieser passenden Gelegenheit zurück; das wird den strengen Greis milde stimmen. In jedem Fall kann sein Rat uns als

Richtschnur dienen. Und jetzt führe Jelena Iwanowna von hier weg ... Beruhige dich, mein Herz«, fuhr er fort, »ich bin von dem Geschrei und Weibergeheul müde geworden und möchte ein wenig schlummern. Hier ist es warm und weich, obgleich ich mich an diesem unvermuteten Zufluchtsort noch nicht umgesehen habe ...«

»Umgesehen? Ist es denn hell drinnen? rief Jelena Iwanowna erfreut.

»Mich umgibt undurchdringliche Finsternis«, erwiderte der arme Gefangene, »aber ich kann tasten und mich sozusagen mit den Händen umschauen ... Lebe denn wohl, sei ganz ruhig und versage dir kein Vergnügen. Bis morgen! Und du, Semjon Semjonowitsch, besuche mich heute abend noch einmal, und weil du zerstreut bist und es leicht vergessen könntest, bitte ich dich, einen Knoten in dein Taschentuch zu machen ...«

Ich gestehe, daß ich sehr froh war, fortgehen zu können, denn ich war zu müde, und außerdem wurde mir die Geschichte langweilig. Ich reichte Jelena Iwanowna, die ein sehr trauriges Gesicht machte, aber durch die Erregung noch viel schöner geworden war, meinen Arm und führte sie schnell aus der Krokodilbude hinaus.

»Heute abend fünfundzwanzig Kopeken Entree«, rief uns der Besitzer nach.

»Mein Gott, wie habgierig!« sagte Jelena Iwanowna, guckte in jeden Spiegel an den Pfeilern der Galerie und gewahrte offenbar, daß sie schöner geworden war.

»Das ökonomische Prinzip«, antwortete ich leicht erregt und tat mit meiner Dame vor den Passanten stolz ...

»Das ökonomische Prinzip ...«, sagte sie mit ihrem sympathischen Stimmchen, »ich habe nichts verstanden, was Iwan Matwejewitsch über dieses widerliche ökonomische Prinzip gesagt hat.«

»Ich will es Ihnen erklären«, erwiderte ich und hielt ihr sofort einen Vortrag über die wohltätigen Folgen des Zuflusses von ausländischem Kapital in unser Vaterland, worüber ich erst heute morgen in den *Petersburger Nachrichten* und der *Stimme* gelesen hatte.

»Wie merkwürdig das alles ist!« unterbrach sie mich, nachdem sie mir eine Zeitlang zugehört hatte. »Hören Sie doch auf, Sie Ekel; was für einen Unsinn Sie reden. Sagen Sie, bin ich zerzaust?«

»Nicht zerzaust – bezaubernd!« bemerkte ich und benutzte die Gelegenheit, ihr ein Kompliment zu machen.

»Schelm!« lispelte sie selbstzufrieden. »Der arme Iwan Matwejewitsch«, fügte sie nach einer Minute hinzu und neigte das Köpfchen kokett auf die Schulter, »er tut mir wirklich leid; ach, mein Gott!«, rief sie plötzlich. »Sagen Sie mir, was wird er denn heute dort essen und ... und ... was macht er ... wenn er etwas nötig hat?«

»Eine unvorhergesehene Frage«, erwiderte ich, ebenfalls verblüfft. Mir war das, aufrichtig gesagt, gar nicht in den Sinn gekommen – um wieviel praktischer sind die Frauen bei der Lösung alltäglicher Lebensfragen!

»Der Arme, wie ist er nur da hineingeschlittert … Und keinerlei Zerstreuung und die Finsternis … Wie ärgerlich, daß ich nicht mal eine Photographie von ihm habe … Also dann bin ich jetzt so eine Art Witwe«, fügte sie mit einem verführerischen Lächeln hinzu, anscheinend sehr interessiert an ihrer neuen Lage, »hm … Aber er tut mir doch leid …«

Mit einem Wort – der höchst begreifliche und natürliche Schmerz einer jungen interessanten Frau um ihren verunglückten Mann kam aufs lebhafteste zum Ausdruck. Ich brachte sie endlich nach Hause, beruhigte sie, speiste bei ihr zu Mittag und begab mich nach einer Tasse aromatischen Kaffees um sechs Uhr zu Timofej Semjonowitsch, weil ich annahm, daß doch zu dieser Stunde alle festangestellten Familienväter in ihren Wohnungen sitzen oder liegen.

Nachdem ich dieses erste Kapitel in einem der geschilderten Begebenheit angemessenen Stil niedergeschrieben habe, gedenke ich, mich weiterhin eines zwar nicht so erhabenen, dafür aber um so natürlicheren Stiles zu befleißigen, wovon ich den geneigten Leser schon vorher in Kenntnis setze.

2

Der ehrenwerte Timofej Semjonowitsch empfing mich etwas ungeduldig und, scheint's, auch ein wenig verlegen. Er führte mich in sein enges Kabinett und schloß die Tür ab. »Damit die Kinder uns nicht stören«, sagte er mit sichtlicher Unruhe. Dann wies er mir einen Stuhl neben dem Schreibtisch an, setzte sich selbst in einen Lehnsessel, schlug die Schöße seines alten, wattierten Schlafrockes übereinander und setzte für alle Fälle eine gewissermaßen amtliche, nahezu strenge Miene auf, obgleich er weder mein noch Iwan Matwejewitschs Vorgesetzter war, sondern bisher als gewöhnlicher Kollege und sogar Bekannter galt.

»Vor allem bedenken Sie«, fing er an, »daß ich kein Vorgesetzter, sondern in ebenso abhängiger Stellung bin wie Sie und Iwan Matwejewitsch…

Ich stehe abseits und will mich in nichts einmischen.« Ich war erstaunt, daß er offenbar schon alles wußte. Dennoch erzählte ich ihm nochmals die ganze Geschichte mit allen Einzelheiten. Ich sprach sogar sehr erregt, denn ich erfüllte in diesem Augenblick die Pflichten eines wahren Freundes. Er hört mir ohne große Verwunderung, aber mit einem deutlichen Ausdruck von Argwohn zu.

»Denken Sie sich«, sagte er, als ich geendet hatte, »ich habe schon immer geglaubt, daß ihm das geschehen wird.«

»Wieso denn, Timofej Semjonowitsch, es ist ein höchst ungewöhnlicher Fall ...«

»Zugegeben. Aber Iwan Matwejewitsch steuerte in seiner ganzen Laufbahn auf dieses Ziel los. Er hatte etwas Dreistes, geradezu Herausforderndes in seinem Wesen. Immer den ›Fortschritt‹ und allerlei Ideen im Kopf! Ja, nun sieht man's, wohin dieser Fortschritt führt!«

»Das ist doch ein ganz ungewöhnlicher Fall und läßt sich nicht als allgemeine Regel für alle Fortschrittsmänner betrachten ...«

»Nein, es ist schon so. Das kommt, sehen Sie, von dem Übermaß an Bildung, glauben Sie mir. Denn übermäßig gebildete Leute drängen sich zu jedem Amt und vorzüglich dahin, wo man sie gar nicht braucht. Übrigens wissen Sie vielleicht mehr«, fügte er, anscheinend gekränkt, hinzu. »Ich bin kein so hochgebildeter Mann und alt; als Soldatenkind habe ich angefangen und in diesem Jahr mein fünfzigjähriges Dienstjubiläum gefeiert.«

»Aber ich bitte Sie, Timofej Semjonowitsch! Im Gegenteil! Iwan Matwejewitsch lechzt nach Ihrem guten Rat und nach Ihrer väterlichen Unterweisung. Sogar unter Tränen, sozusagen.«

»Unter Tränen, sozusagen! Hm! Nun, das sind Krokodilstränen, und denen kann man nicht trauen. Aber weshalb, sagen Sie mir, hat es ihn so ins Ausland gezogen? Und wo nimmt er das Geld dazu her? Er hat doch keine Mittel.«

»Er hat es sich zusammengespart, Timofej Semjonowitsch, von der letzten Gratifikation«, erwiderte ich mit kläglicher Miene. »Nur für drei Monate wollte er verreisen, in die Schweiz … in die Heimat Wilhelm Tells.«

»Wilhelm Tells? Hm!«

»In Neapel wollte er den Frühling begrüßen. Das Museum besuchen, die Sitten studieren, die Tiere …«

»Hm! Die Tiere! Ich meine, das ist einfach Hochmut. Tiere? Was heißt Tiere? Gibt es bei uns etwa wenig Tiere? Wir haben Menagerien, Museen, Kamele. Bären gibt's in der nächsten Nähe von Petersburg. Und er selber hat sich sogar in ein Krokodil hineingesetzt …«

»Timofej Semjonowitsch, erbarmen Sie sich, der Mann ist im Unglück, der Mann wendet sich an Sie als an einen Freund, einen älteren Verwandten, lechzt nach Rat, und Sie kommen mit Vorwürfen … Haben Sie doch Mitleid mit der unglücklichen Jelena Iwanowna!«

»Sie reden von der Gattin? Eine sehr interessante Dame«, sagte Timofej Semjonowitsch, sichtlich milder gestimmt und mit Genuß eine Prise nehmend. »Eine subtile Person. Und so rundlich, hält das Köpfchen immer auf die Seite, auf die Seite … Sehr angenehm. Andrej Osipowitsch hat noch vorgestern von ihr geredet …«

»Von ihr geredet?«

»Von ihr geredet, und in sehr schmeichelhaften Ausdrücken. ›Diese Büste‹, sagte er, ›dieser Blick, die Frisur … Ein Bonbon‹, sagte er, ›und keine Dame‹ – und lachte dazu. Er ist ja noch ein junger Mann.« Timofej Semjonowitsch schneuzte sich trompetend. »Ja, ja, so ein junger Mensch – und was macht er für eine Karriere …«

»Hier handelt es sich doch um andere Dinge, Timofej Semjonowitsch.«

»Freilich, freilich.«

»Was meinen Sie also, Timofej Semjonowitsch?«

»Was kann ich denn tun?«

»Raten Sie ihm, leiten Sie ihn – als erfahrener Mensch, als Verwandter. Was soll man unternehmen? Zu den Vorgesetzten gehen oder …«

»Zu den Vorgesetzten? Auf keinen Fall!« sagte Timofej Semjonowitsch hastig. »Wenn Sie einen Rat wollen, dann vor allem die Sache vertuschen und sozusagen als Privatangelegenheit behandeln. Ein ganz verdächtiger, noch nie dagewesener Fall. Vor allem ein noch nie dagewesener Fall ohne Beispiel, und das ist eine üble Empfehlung … Deshalb vor allem Vorsicht … Mag vorderhand ein wenig liegenbleiben. Man muß abwarten, abwarten …«

»Wie denn abwarten, Timofej Semjonowitsch? Wenn er nun erstickt?«

»Warum denn? Sie sagten doch, glaube ich, daß er sich ziemlich komfortabel eingerichtet habe?«

Ich erzählte alles noch einmal Timofej Semjonowitsch.

»Hm!« sagte er und drehte seine Tabaksdose zwischen den Fingern. »Meiner Ansicht nach ist es sogar ganz gut, wenn er dort ein wenig liegenbleibt, statt ins Ausland zu reisen. Mag er in Muße nachdenken. Natürlich soll er nicht ersticken, und daher muß man entsprechende Maßnahmen zur Erhaltung seiner Gesundheit treffen; er muß sich vor Husten in acht nehmen und so weiter. Was aber den Deutschen betrifft, so ist er meines Erachtens durchaus im Recht, und zwar weit mehr als die Gegenpartei, weil man, ohne zu fragen, in sein Krokodil und nicht er, ohne zu fragen, in Iwan Matwejewitschs Krokodil hineingekrochen ist, der übrigens – soweit ich mich erinnere – nie ein Krokodil hatte. Nun, und das Krokodil stellt ohne Einschränkung das Eigentum des Deutschen dar und darf ohne Entschädigung nicht aufgeschlitzt werden.«

»Es handelt sich um die Rettung eines Menschenlebens, Timofej Semjonowitsch.«

»Nun, das ist Sache der Polizei. An die muß man sich wenden.«

»Iwan Matwejewitsch kann aber auch uns nötig sein. Man kann ihn brauchen.«

»Iwan Matwejewitsch brauchen? Hähähä! Bedenken Sie doch, er ist doch beurlaubt! Also brauchen wir uns um ihn nicht zu kümmern; mag er die Länder Europas besichtigen! Etwas anderes ist es, wenn er nach Ablauf des Urlaubs nicht erscheint. Dann müssen wir natürlich anfragen, Erkundigungen einziehen …«

»Drei Monate! Timofej Semjonowitsch, erbarmen Sie sich!«

»Er ist selbst schuld. Wer hat ihn hingeschickt? Soll man ihm etwa eine fiskalische Wärterin dingen? Das ist im Etat nicht vorgesehen. Vor allem jedoch – das Krokodil ist fremdes Eigentum, hier spielt auch das sogenannte ökonomische Prinzip mit. Das ökonomische Prinzip ist aber das allerwichtigste. Das hat noch vorgestern Ignatij Prokofjewitsch bei Luka Andrejewitsch auf der Abendgesellschaft gesagt. Sie kennen doch Ignatij Prokofjewitsch? Ein Kapitalist, steht mitten im Leben und redet, wissen Sie, so klar und gescheit. ›Industrie brauchen wir‹, sagt er, ›unsere Industrie ist nicht genug entwickelt. Wir müssen sie erzeugen. Kapital müssen wir erzeugen, also den dritten Stand, die sogenannte Bourgeoisie, die muß geschaffen werden. Da wir aber keine Kapitalien haben, müssen wir sie aus dem Ausland holen. Erstens müssen wir den ausländischen Kompanien freie Hand geben, unsere Ländereien parzellenweise anzukaufen, wie das im Ausland jetzt überall geschieht. Der Gemeindebesitz‹, sagte er, ›ist Gift, der richtet uns zugrunde!‹ Und wie feurig er redet! Na, denen redet es sich leicht: Leute mit Kapital … keine Beamten. ›Solange der Gemeinbesitz besteht‹, sagt er, ›kann weder Landwirtschaft noch Industrie gedeihen. Es ist notwendig‹, sagt er, ›daß die ausländischen Gesellschaften nach Möglichkeit unser ganzes Land aufkaufen, und dann muß aufgeteilt, aufgeteilt, aufgeteilt werden, in möglichst kleine Parzellen.‹ Und wissen Sie, er spricht es so scharf aus: Parrrrrzellen! ›Und dann‹, sagt er, ›muß es als Einzelbesitz verkauft werden. Nein, nicht einmal verkauft, bloß verpachtet. Wenn das ganze Land im Besitz der herangezogenen ausländischen Gesellschaften ist, dann können sie jeden beliebigen Pachtpreis verlangen. Der Bauer wird also dreimal soviel arbeiten, allein für das tägliche Brot, und man kann ihn jederzeit wieder davonjagen. Das wird er spüren, gehorsam und fleißig werden und dreimal soviel herausholen als früher. Bei dem gegenwärtigen Gemeinbesitz aber pfeift er auf alles! Er weiß, daß er nicht Hungers sterben kann, also faulenzt er und säuft. Indes aber kommt auch Geld in unser Land und werden Kapitalien investiert und entwickelt sich die Bourgeoisie. Da hat neulich auch die englische politische und literarische Zeitung *Times* unsere Finanzen analysiert und geäußert, daß sie eben deshalb nicht wüchsen, weil wir keine Bourgeoisie, keine großen Geldbeutel, keine dienstbereiten Proletarier hätten ...‹ Ja, Ignatij Prokofjewitsch hat gut reden. Ein richtiger Orator. Er gedenkt selbst eine Eingabe an die Behörde zu richten und dann auch etwas in den *Nachrichten*[3] drukken zu lassen. Das ist etwas anderes als die Verschen, die Iwan Matwejewitsch macht.«

[3] Bekannte Petersburger Zeitung (Anmerkung des Übersetzers).

»Was soll nun mit Iwan Matwejewitsch werden?« fing ich wieder an, nachdem ich den Alten hatte ausreden lassen.

Timofej Semjonowitsch schwatzte ab und zu ganz gern, um zu zeigen, daß er nicht zurückgeblieben sei, sondern alles wisse.

»Mit Iwan Matwejewitsch? Ja, darauf will ich doch hinaus. Wir bemühen uns, ausländisches Kapital in unser Land zu ziehen, und nun bedenken Sie! Kaum daß sich das Kapital des herangezogenen Krokodilführers durch Iwan Matwejewitsch verdoppelt hat, beabsichtigen wir nicht etwa den ausländischen Kapitalisten zu unterstützen, sondern dem Grundkapital selbst den Bauch aufzuschneiden. Hat das Sinn? Meiner Ansicht nach müßte sich Iwan Matwejewitsch als echter Sohn seines Vaterlandes freuen und stolz darauf sein, daß er den Wert des ausländischen Krokodils verdoppelt, wenn nicht gar verdreifacht hat. Das erfordert das Prinzip der Heranziehung. Hat der eine Glück, kommt wohl noch ein zweiter mit seinem Krokodil, und ein dritter bringt dann gleich noch zwei oder drei auf einmal mit, und um sie gruppiert sich nun das Kapital. Das ist Bourgeoisie. Die muß gefördert werden.«

»Erbarmen Sie sich, Timofej Semjonowitsch!« schrie ich auf. »Sie verlangen eine übermenschliche Selbstaufopferung von dem armen Iwan Matwejewitsch!«

»Ich verlange das nicht, und vor allem bitte ich Sie, wie ich das schon früher getan habe, zu bedenken, daß ich nicht Ihr Vorgesetzter bin, also von niemandem etwas verlangen kann. Ich rede als Sohn des Vaterlandes, das heißt nicht wie der *Sohn des Vaterlandes*[4], sondern einfach als Sohn meines Vaterlandes. Wer hat ihm befohlen, in das Krokodil hineinzukriechen? Ein solider Mann, ein Mann in gehobener Stellung, ein Mann in gesetzlich geschlossener Ehe – und so ein Schritt! Schickt sich das?«

»Aber der Schritt erfolgte doch ganz unbeabsichtigt!«

»Wer kann das wissen? Und von welchen Summen soll außerdem der Krokodilbesitzer bezahlt werden? Können Sie mir das sagen?«

»Vielleicht wäre ein Gehaltsvorschuß möglich, Timofej Semjonowitsch?«

»Wird das reichen?«

»Es wird nicht reichen, Timofej Semjonowitsch«, sagte ich betrübt. »Der Krokodilmann fürchtete zwar zuerst, daß sein Krokodil platzen könnte, doch als er sich dann überzeugt hatte, daß keine Gefahr bestand, tat er plötzlich sehr groß und freute sich, daß er das Eintrittsgeld verdoppeln konnte.«

»Auf das Dreifache und Vierfache wird er es erhöhen! Das Publikum wird jetzt hinströmen, und diese Krokodilbesitzer sind schlaue Füchse! Zudem ist es Faschingszeit, alles möchte sich amüsieren, und da-

[4] Bekannte Petersburger Zeitung (Anmerkung des Übersetzers).

rum – ich wiederhole es noch einmal –, darum soll Iwan Matwejewitsch vorderhand sein Inkognito wahren und nichts überstürzen. Meinetwegen können alle wissen, daß er im Krokodil sitzt, aber es soll nicht offiziell bekannt werden. In dieser Hinsicht befindet sich Iwan Matwejewitsch in einer höchst vorteilhaften Lage, denn er gilt als ins Ausland verreist. Es wird behauptet, er säße im Krokodil, wir aber glauben es einfach nicht. Das läßt sich sehr gut einrichten. Vor allem soll er abwarten, wohin sollte er auch eilen?«

»Wenn nun aber ...«

»Seien Sie unbesorgt, bei seiner kräftigen Konstitution ...«

»Nun, und dann, wenn er abgewartet hat?«

»Nun ja, ich kann Ihnen nicht verschweigen, daß es ein schwieriger Fall ist. Man findet sich nicht so leicht zurecht, und was das Schlimmste ist: es hat bisher keinen Präzedenzfall gegeben. Hätten wir einen solchen, könnten wir uns danach richten. Wie aber sollen wir hier entscheiden? Man fängt an zu überlegen, und die Sache zieht sich in die Länge.«

Ein glücklicher Gedanke fuhr mir durch den Kopf. »Läßt es sich nicht einrichten«, sagte ich, »daß er, wenn es ihm schon bestimmt ist, im Bauch des Ungeheuers zu bleiben und sein Leben der Güte der Vorsehung anheimzustellen, daß er dann ein Gesuch an die Behörde richtet, um seine Beamtenstellung zu behalten?«

»Hm… Allenfalls als Beurlaubter und ohne Anspruch auf Gehalt.«
»Nein, ich meine, daß er sein Gehalt wieder bezieht…«
»Aus welchem Grund?«
»In Form einer Abkommandierung.«
»Welcher und – wohin?«
»Nun, eben ins Innere, ins Innere des Krokodils… zu Forschungszwecken, zum Studium der Verhältnisse an Ort und Stelle. Das wäre etwas ganz Neues, entspräche unserer fortschrittlichen Politik und würde zugleich unser Interesse für Bildungsfragen bekunden.«
Timofej Semjonowitsch überlegte.
»Einen Beamten mit besonderem Auftrag in das Innere eines Krokodils abzukommandieren«, sagte er endlich, »das ist meiner persönlichen Meinung nach Unsinn. Im Etat ist dergleichen nicht vorgesehen. Und was für einen Auftrag könnte es dort geben?«
»Nun, etwa zur natürlichen Erforschung, sagen wir, der Natur an Ort und Stelle. Heutzutage werden die Naturwissenschaften überall gepflegt, die Botanik und so weiter… Er könnte dort wohnen und berichten… nun, über die Verdauung oder einfach über die Sitten und Gebräuche. Um Tatsachenmaterial zu sammeln.«
»Also zu statistischen Zwecken. Nun, darin bin ich nicht beschlagen, ich bin kein Philosoph. Sie sagen: Tatsachenmaterial… Wir ersticken ohnehin schon in

Tatsachen und wissen nicht, wohin mit ihnen. Zudem ist diese Statistik gefährlich ...«

»Wieso denn?«

»Gefährlich. Und bedenken Sie, er würde seine Berichte sozusagen auf dem Lotterbett liegend abfassen. Und kann man als Beamter auf dem Lotterbett liegen? Das ist wieder eine Neuerung, und zwar eine sehr gefährliche. Wir haben wiederum keine Präzedenzfälle. Ja, wenn Sie mir nur einen Vorgang namhaft machen könnten, dann, meine ich, ließe sich eine Abkommandierung schon ermöglichen.«

»Es sind aber bisher auch keine lebenden Krokodile zu uns gekommen, Timofej Semjonowitsch.«

»Hm! Ja ...« Er überlegte wieder. »Dieser Einwand ist nicht unrichtig und könnte sogar als Grundlage für eine weitere Untersuchung des Falles dienen. Doch erwägen Sie andererseits wiederum, wenn mit dem häufigeren Erscheinen lebender Krokodile auch immer mehr Beamte verschwinden und, weil es dort drinnen warm und gemütlich ist, dorthin abkommandiert zu werden verlangen, um hübsch faulenzen zu können ... Sie werden zugeben müssen, daß das kein gutes Beispiel ist. Am Ende würde sich jeder dorthin begeben, um sein Gehalt ohne jede Gegenleistung beziehen zu können.«

»Raten Sie, Timofej Semjonowitsch! Ja, noch etwas: Iwan Matwejewitsch bat mich, seine Spielschuld zu begleichen, sieben Rubel von der letzten Whistpartie.«

»Ach ja, er verlor sie neulich bei Nikifor Nikiforowitsch. Ich erinnere mich. Wie lustig er damals war! Fortwährend Witze – und nun!«
Der Alte war gerührt.
»Helfen Sie uns, Timofej Semjonowitsch!«
»Ich will's versuchen. Ich will ganz privat sprechen, als wollte ich nur eine Auskunft haben. Bringen Sie übrigens ganz inoffiziell in Erfahrung, was für einen Preis der Besitzer für sein Krokodil verlangen würde.«
Timofej Semjonowitsch war offensichtlich freundlicher geworden.
»Unverzüglich«, sagte ich, »und ich erstatte Ihnen dann sofort Bericht.«
»Die Gemahlin … ist jetzt allein? Langweilt sich?«
»Sie sollten sie besuchen, Timofej Semjonowitsch.«
»Ich besuche sie. Ich habe schon selbst daran gedacht. Es paßt auch so gut … Wie kam er nur darauf, sich das Krokodil anzusehen? Ich würde es mir übrigens auch ganz gerne ansehen.«
»Besuchen Sie doch den Ärmsten, Timofej Semjonowitsch.«
»Gewiß. Natürlich kann ich ihm durch diesen Schritt keinerlei Hoffnungen machen. Ich komme als Privatperson. Nun, auf Wiedersehen! Ich bin heute abend wieder bei Nikifor Nikiforowitsch. Sie auch?«
»Nein, ich gehe zum armen Gefangenen!«
»Ja! Der ist nun gefangen! Ach, dieser Leichtsinn!«
Ich verabschiedete mich von dem Alten. Die ver-

schiedensten Gedanken gingen mir im Kopf herum. Timofej Semjonowitsch war ein braver, ehrlicher Mann, doch als ich ihn verließ, war ich froh, daß er schon sein fünfzigjähriges Jubiläum gefeiert hatte und Leute seines Schlages heute bei uns selten sind. Natürlich eilte ich sofort in die Passage, um dem armen Iwan Matwejewitsch alles mitzuteilen. Auch die Neugier plagte mich. Wie hatte er sich dort im Krokodil eingerichtet, und wie konnte man überhaupt in einem Krokodil leben? Mitunter kam mir wirklich alles wie ein ungeheuerlicher Traum vor, um so mehr, als es um ein Ungeheuer ging…

3

Aber es war kein Traum, sondern wirkliche, unbezweifelbare Wahrheit. Sonst würde ich es ja nicht erzählen! Doch ich fahre fort…

In die *Passage* kam ich spät, es war schon neun Uhr, und die Krokodilbude mußte ich durch die Hintertür betreten, denn der Deutsche hatte seinen Laden früher als gewöhnlich geschlossen. Er spazierte in einem speckigen alten Hausrock umher, war aber noch dreimal zufriedener als vorher am Morgen. Man sah es ihm an, daß der nichts mehr fürchtete und viel Publikum dagewesen war. *Mutter* erschien erst später, augenscheinlich um mich zu beobachten. Der Deutsche und Mutter flüsterten häufig miteinander. Obgleich die Bude schon geschlossen war, nahm er mir doch fünfundzwanzig Kopeken ab. Was für eine überflüssige Gewissenhaftigkeit!

»Sie werden zahlen jedesmal; Publikum zahlt einen Rubel und Sie nur fünfundzwanzig Kopeken; denn Sie sind guter Freund von unser guten Freund, und ich schätze Freunde …«

»Lebt er, lebt mein gebildeter Freund?« rief ich laut und näherte mich dem Krokodil in der Hoffnung, daß meine Worte schon aus der Ferne Iwan Matwejewitsch erreichen und seinem Selbstgefühl schmeicheln würden.

»Gesund und munter«, ertönte seine Stimme wie von ferne, gleichsam unter dem Bett hervor, obgleich ich neben ihm stand. »Gesund und munter, doch davon später … Wie steht es sonst?«

Ich tat, als hätte ich diese Frage nicht gehört, und begann ihn teilnahmsvoll und hastig selbst auszufragen, wie es ihm gehe, wie es drinnen im Krokodil aussehe und was dort überhaupt zu finden sei. Das erforderte sowohl die Freundschaft als auch die gewöhnlichste Höflichkeit. Er aber unterbrach mich eigensinnig und ärgerlich.

»Wie steht's?« rief er noch einmal in seinem üblichen Kommandoton und mit seiner quakenden Stimme, die diesmal besonders ekelhaft klang.

Ich teilte ihm mein ganzes Gespräch mit Timofej Semjonowitsch bis ins kleinste Detail mit. Ich versuchte dabei einen etwas gekränkten Ton zu markieren.

»Der Alte hat recht«, entschied Iwan Matwejewitsch ebenso schroff, wie er seiner Gewohnheit nach mit mir zu reden pflegte. »Ich liebe praktische Leute und kann die süßlichen Schwätzer nicht leiden. Ich bin aber bereit zuzugeben, daß auch deine Idee einer Abkommandierung nicht ganz unsinnig ist. In der Tat, ich kann viel in wissenschaftlicher und sittlicher Beziehung berichten. Doch jetzt gewinnt alles ein neues und unerwartetes Aussehen, und es lohnt sich nicht, sich nur wegen des Gehalts zu bemühen. Höre jetzt aufmerksam zu. Sitzt du?«

»Nein, ich stehe.«

»Setz dich irgendwohin, meinetwegen auf den Fußboden, und höre mir aufmerksam zu.«

Erbittert nahm ich einen Stuhl und stieß ihn im Zorn heftig auf den Fußboden.

»Höre«, begann er befehlshaberisch, »es war heute eine Unmenge Publikum da. Am Abend war kein Platz mehr für alle; die Polizei mußte kommen, um für Ordnung zu sorgen. Um acht Uhr, das heißt früher als sonst, fand der Besitzer es sogar für gut, die Bude zu schließen und die Vorstellung abzubrechen, um das eingegangene Geld nachzuzählen und sich in Ruhe auf morgen vorzubereiten. Ich weiß, daß es morgen hier einen richtigen Jahrmarkt geben wird. So kann man annehmen, daß alle gebildeten Leute der Residenz, die Damen der vornehmsten Gesellschaft, die ausländischen Gesandten, Juristen und so weiter hier vorsprechen werden. Mehr noch, es werden Leute aus den verschiedensten Provinzen unseres großen und interessanten Vaterlandes zusammenströmen. Das Ergebnis – ich werde alle beschäftigen und, wenn auch verborgen, die erste Geige spielen. Ich will die müßige Menge belehren. Durch Erfahrung gewitzigt, will ich ihnen ein Beispiel der Größe und Ergebenheit ins Schicksal bieten! Ich werde sozusagen das Katheder sein, von dem aus ich die Menschheit belehre. Allein schon die naturwissenschaftlichen Mitteilungen, die ich über das von mir bewohnte Ungeheuer machen kann, sind von unschätzbarem Wert. Und darum murre ich nicht über das heutige Erlebnis, sondern hoffe auf eine glänzende Karriere.«

»Wird es dir nicht langweilig?« fragte ich giftig.

Am meisten empörte mich, daß er in seiner Rede fast gar keine persönlichen Fürwörter mehr gebrauchte, so wichtig tat er. Trotzdem war ich ganz irre geworden. Wie kommt dieser leichtsinnige Mensch dazu, das Maul so vollzunehmen? knirschte ich. Er sollte weinen, aber nicht großtun!

»Nein!!« erwiderte er schroff auf meine Bemerkung. »Ich bin ganz erfüllt von großen Ideen, jetzt erst habe ich Muße, über das Heil der ganzen Menschheit nachzudenken. Aus dem Krokodil sollen jetzt Wahrheit und Licht hervorgehen. Ich erfinde ganz bestimmt eine neue, eigene Theorie der neuen wirtschaftlichen Verhältnisse und werde stolz auf sie sein! Bisher hatte ich keine Zeit dazu, weil mich mein Amt und die törichten Vergnügungen der Gesellschaft zu sehr in Anspruch nahmen. Nun aber stürze ich alles um und werde ein neuer Fourier. Übrigens – hast du Timofej Semjonowitsch die sieben Rubel gegeben?«

»Ich habe sie von meinem Geld ausgelegt«, sagte ich, das Wort »meinem« scharf betonend.

»Wir rechnen später ab«, erwiderte er hochmütig. »Ich erwarte demnächst eine Gehaltserhöhung, denn wer verdiente eine solche mehr als ich? Ich bin dem Staat jetzt unendlich nützlich. Doch zur Sache. Was macht die Frau?«

»Du fragst wohl nach Jelena Iwanowna?«

»Die Frau?!« schrie er mit geradezu kreischender Stimme.

Nichts zu machen! Demütig, doch wieder zähneknirschend erzählte ich ihm, wie ich Jelena Iwanowna verlassen hatte. Er hörte mich nicht einmal bis zu Ende an.

»Ich habe besondere Absichten mit ihr«, fing er ungeduldig an. »Wenn ich *hier* berühmt werde, soll sie es *dort* werden. Gelehrte, Dichter, Philosophen, angereiste Mineralogen, Staatsmänner werden, nachdem sie vormittags sich mit mir unterhalten haben, abends ihren Salon besuchen. Von der kommenden Woche an muß ihr Salon jeden Abend offenstehen. Das verdoppelte Gehalt wird ihr die Mittel zur Bewirtung der Gäste verschaffen, und da sich die Bewirtung auf Tee und gedingte Lakaien beschränken wird, muß alles glattgehen. Hier wie dort wird man über mich reden. Ich habe längst auf eine Gelegenheit gewartet, daß alle von mir reden, konnte aber bisher nichts erreichen, weil ich gefesselt war durch meine geringe Bedeutung und mein bescheidenes Amt. Jetzt aber ist das alles erreicht durch die einfache Schluckbewegung eines Krokodils. Jedem meiner Worte wird man lauschen, jeden Ausspruch erwägen, weitergeben, drucken. Und ich werde von mir reden machen! Sie werden endlich begreifen, welche Fähigkeiten sie im Bauch des Krokodils verschwinden ließen. Dieser Mann hätte im Ausland Minister sein und ein Königreich regieren können, werden sie sagen. Und dieser Mann hat noch kein ausländisches Königreich regiert, werden die andern sagen. Wahrhaftig, worin stehe ich irgendeinem *Garnier-Pagès*, oder wie die Kerle sonst heißen mögen, nach? Meine Frau muß mein Pendant abgeben – bei mir der Geist, bei ihr die Schönheit und Liebenswürdigkeit. Sie ist schön, weil sie seine Frau ist, werden die anderen jene verbessern. In jedem Fall soll Jelena Iwanowna morgen das Konversationslexikon kaufen, das von Andrej Krajewskij[5] herausgegeben wurde, damit sie über alle Dinge reden kann. Vor allem jedoch soll sie die politischen Leitartikel der *St. Petersburger Nach-*

[5] Krajewskij ist der Herausgeber der liberalen Zeitung *Golos*, (*Die Stimme*), von Dostojewskij wiederholt verspottet (Anmerkung des Übersetzers).

richten lesen und sie täglich mit den Aufsätzen in der *Stimme* vergleichen. Ich nehme an, daß mich der Besitzer ab und zu mitsamt dem Krokodil in den glänzenden Salon meiner Gemahlin bringen wird. Ich werde im Behälter mitten im prachtvoll ausgestatteten Salon stehen und von Bonmots sprühen, die ich mir vormittags zurechtgelegt habe. Dem Staatsmann teile ich meine Entwürfe mit; mit dem Dichter rede ich in Reimen; mit den Damen scherze ich liebenswürdig, ohne den Anstand zu verletzen – denn für ihre Gatten bin ich ganz ungefährlich. Allen anderen diene ich als ein Beispiel frommer Ergebenheit ins Schicksal und in den Willen der Vorsehung. Meine Frau mache ich zu einer glänzenden Literaturdame; ich rücke sie ins hellste Licht und kläre das Publikum über sie auf; als meine Frau muß sie die größten Vorzüge besitzen, und wenn man Andrej Alexandrowitsch mit Recht unseren russischen Alfred de Musset nennt, so wird es noch mehr zutreffen, wenn man sie als unsere russische Eugénie Tour[6] bezeichnet.«

Ich muß gestehen, dieses Geschwätz erinnerte zwar sehr an Iwan Matwejewitsch, wie er immer war; dennoch kam mir der Gedanke, daß er im Fieber rede.

[6] Gräfin Jelisaweta Wasiljewna Salias de Tournemir, geb. Suchowo-Kobylina, schrieb unter dem Decknamen Eugénie Tour zahlreiche Romane und Novellen aus dem russischen Gesellschaftsleben (Anmerkung des Übersetzers).

Er war immer der gleiche, alltägliche Iwan Matwejewitsch, aber gewissermaßen durch ein Glas mit zwanzigfacher Vergrößerung betrachtet.

»Mein Freund«, fragte ich Iwan Matwejewitsch, »hoffst du, die ganze Ewigkeit drinnen zu bleiben? Und sag mir überhaupt: Bist du ganz gesund? Wie ißt du, wie schläfst du, wie atmest du? Ich bin dein Freund, und du mußt zugeben, daß dies ein ganz übernatürlicher Fall ist. Daher ist auch meine Neugier nur zu natürlich.«

»Müßige Neugier, nichts weiter«, erwiderte er sentenziös, »du sollst aber befriedigt werden. Du fragst, wie ich mich im Inneren des Ungeheuers eingerichtet habe? Erstens hat sich das Krokodil zu meiner größten Verwunderung als ganz leer erwiesen. Sein Inneres besteht gewissermaßen aus einem riesigen leeren Sack, der aus Gummi angefertigt ist, ähnlich jenen Gummierzeugnissen, die man bei uns in der Gorochowaja, der Morskaja und, wenn ich nicht irre, auf dem Wosnesenskij-Prospekt kaufen kann. Wie hätte ich sonst hier Platz gefunden?«

»Ist es möglich?« rief ich in begreiflichem Staunen. »Das Krokodil ist innen ganz hohl?«

»Völlig«, bestätigte Iwan Matwejewitsch streng und eindringlich. »Und wahrscheinlich ist es nach den Gesetzen der weisen Natur so beschaffen. Das Krokodil besitzt nur einen mit spitzen Zähnen versehenen Rachen und dazu einen recht langen Schwanz, das ist strenggenommen alles. In der Mitte zwischen diesen zwei Extremitäten befindet sich ein leerer Raum, mit etwas Kautschukartigem umgeben; aller Wahrscheinlichkeit nach ist es auch Kautschuk.«

»Und Rippen, Magen, Eingeweide, Leber, Herz?« unterbrach ich ihn zornig.

»Nichts, absolut nichts ist vorhanden und wahrscheinlich auch nie vorhanden gewesen. All das sind nur müßige Phantasien leichtsinniger Reisender. Wie man ein Hämorrhoidalkissen aufbläst, so blase ich jetzt das Krokodil auf. Es ist dehnbar bis zur Unendlichkeit. Sogar du als mein Hausfreund könntest neben mir Platz finden, wenn du großmütig genug dazu wärest. Wir hätten auch zu zweien hier Platz. Ich denke sogar daran, im äußersten Notfall Jelena Iwanowna hierherkommen zu lassen. Übrigens steht diese innere Leere des Krokodils völlig im Einklang mit den Lehren der Naturwissenschaft. Denn nehmen wir zum Beispiel an, du solltest ein neues Krokodil schaffen – selbstverständlich wäre deine erste Frage: Was ist die Grundeigentümlichkeit des Krokodils? Die Antwort ist klar: Menschen verschlingen. Wie muß das Krokodil beschaffen sein, um Menschen verschlingen zu können? Die Antwort ist noch klarer: Schaffe es leer. Die Physik hat längst festgestellt, daß die Natur keine Leere duldet. Demgemäß muß auch das Innere des Krokodils leer sein, damit es keine Leere dulde, sondern alles verschlinge und sich fülle mit allem, was ihm in den Weg kommt. Und das ist der einzige vernünftige Grund, warum die Krokodile unsereinen verschlingen. Der Mensch ist anders eingerichtet: je leerer zum Beispiel der Kopf eines Menschen ist, desto geringer ist sein Verlangen, ihn zu füllen, und das ist die einzige Ausnahme von der allgemeinen Regel. Dies alles ist mir jetzt sonnenklar, dies alles habe ich durch selbständiges Denken und eigene Erfahrung erkannt, da ich mich sozusagen im Inneren der Natur, in ihrer Retorte, befand und ihrem Pulsschlag lauschte. Sogar die Etymologie bestätigt meine Meinung, denn der Name Krokodil bedeutet nichts anderes als Gefräßigkeit. Krokodil, *Crocodillo* ist ohne Zweifel ein italienisches Wort, das vielleicht noch aus der Zeit der ägyptischen Pharaonen stammt und augenscheinlich von der französischen Wurzel *croquer* abzuleiten ist. *Croquer* aber bedeutet verspeisen, genießen und überhaupt als Nahrung verwenden. Dies alles gedenke ich in meinem ersten Vortrag dem in Jelena Iwanownas Salon versammelten Publikum mitzuteilen, wenn ich im Kasten dorthin gebracht werde.«

»Mein Freund, solltest du nicht wenigstens ein Abführmittel nehmen?« rief ich unwillkürlich. Er fiebert, er fiebert, er fiebert, wiederholte ich entsetzt für mich.

»Unsinn!« rief er verächtlich. »Zudem ist das in meiner gegenwärtigen Lage ganz unangebracht. Übrigens hatte ich schon geahnt, daß du von Abführmitteln reden würdest.«

»Aber, mein Freund, wie… wie nimmst du denn jetzt

Speise zu dir? Hast du heute zu Mittag gegessen oder nicht?«

»Nein! Aber ich bin satt und werde aller Wahrscheinlichkeit nach überhaupt nie mehr Nahrung zu mir nehmen. Und auch das ist ganz begreiflich: indem ich das ganze Innere des Krokodils ausfülle, mache ich es für immer satt. Jetzt braucht es mehrere Jahre lang nicht gefüttert zu werden. Andererseits wird es mir, durch mich gesättigt, ganz natürlich alle seine Lebenssäfte mitteilen – in der Art, wie manche verfeinerten Koketten sich alle ihre Körperformen für die Nacht mit rohen Koteletten belegen; wenn sie dann morgens ein Bad genommen haben, sind sie frisch, elastisch, saftig und bezaubernd. So nähre ich das Krokodil und werde wiederum von ihm genährt; also nähren wir uns gegenseitig. Da es aber selbst einem Krokodil schwerfällt, einen Mann wie mich zu verdauen, muß es selbstverständlich eine gewisse Schwere im Magen spüren: im Magen, den es übrigens gar nicht hat – und das ist der Grund, warum ich mich, um dem Ungeheuer nicht unnütze Schmerzen zu bereiten, selten von einer Seite auf die andere drehe; ich könnte es zwar ohne weiteres, vermeide es aber aus Humanität. Dies ist der einzige Nachteil meiner augenblicklichen Lage, und in allegorischem Sinne hat Timofej Semjonowitsch recht, wenn er mich einen Bärenhäuter nennt. Aber ich werde beweisen, daß man auch auf der Bärenhaut – mehr noch, daß man nur auf der Bärenhaut das Geschick der

Menschheit gestalten kann. Alle großen Ideen und Richtungen unserer Zeitungen und Zeitschriften sind augenscheinlich von Bärenhäutern hervorgebracht worden. Darum spricht man ja auch von Studierzimmerideen, aber ich pfeife auf solche Bezeichnungen! Ich erfinde jetzt ein ganzes Spezialsystem – und du glaubst nicht, wie leicht das ist! Es genügt, sich in irgendeinen entfernten Winkel zurückzuziehen oder in den Bauch eines Krokodils zu kriechen und die Augen zu schließen – und sofort hat man ein Paradies für die ganze Menschheit erfunden. Vorhin, als ihr schon fort wart, machte ich mich sofort ans Erfinden; ich habe schon drei Systeme erfunden und bin jetzt beim vierten. Allerdings muß man zuerst alles umstürzen, aber aus dem Krokodil heraus ist das sehr leicht; mehr noch, aus dem Krokodil heraus sieht man alles viel deutlicher ... Übrigens hat meine Situation auch gewisse Mängel, sie sind aber unbedeutend; das Innere des Krokodils ist etwas feucht und anscheinend mit Schleim bezogen; außerdem riecht es etwas nach Gummi, ganz wie meine alten Galoschen. Sonst habe ich über nichts zu klagen.«

»Iwan Matwejewitsch«, unterbrach ich ihn, »dies alles sind Wunder, an die ich kaum glauben kann. Und gedenkst du wirklich, dein Leben lang nicht mehr zu Mittag zu speisen?«

»Um was für Unsinn du dich kümmerst, leichtsinniger, törichter Kopf! Ich rede dir von großen Ideen, und du ... Wisse denn, daß ich von den großen Ideen allein schon gesättigt werde, welche die mich umgebende Nacht erhellen. Übrigens hat der gutmütige Besitzer des Ungeheuers nach Rücksprache mit seiner herzensguten Mutter beschlossen, jeden Morgen in den Rachen des Krokodils eine gebogene Metallröhre zu schieben, durch die ich Kaffee oder Bouillon mit eingeweichtem Weißbrot einsaugen kann. Das Röhrchen ist schon in der Nachbarschaft bestellt, ich halte es aber für einen unnützen Luxus. Ich hoffe, wenigstens tausend Jahre zu leben, wenn es wahr ist, daß Krokodile so lange leben. Gut, daß mir das eingefallen ist! Schlage morgen in irgendeiner Naturgeschichte nach und gib mir Bescheid, denn ich kann mich auch geirrt und das Krokodil mit irgendeinem anderen Fossil verwechselt haben. Nur eine Erwägung macht mir Sorge. Da ich in einem Tuchanzug und Lederstiefeln stecke, kann das Krokodil mich augenscheinlich nicht verdauen. Außerdem bin ich lebendig und widersetze mich dem Verdautwerden mit der ganzen Kraft meines Willens, denn es versteht sich von selbst, daß ich nicht in die Substanz verwandelt werden will, in die sich jede Nahrung verwandelt. Das wäre eine zu große Demütigung! Ich fürchte nur eins! In den tausend Jahren kann das Tuch meines Gehrocks, das leider russisches Erzeugnis ist, zerfallen; und wenn ich dann ohne Kleider bin, kann ich am Ende ungeachtet aller meiner Entrüstung dem Verdauungsprozeß doch zum Opfer fallen. Bei Tage lasse ich das natürlich in keinem Fall zu, doch des

Nachts, im Schlaf, wenn der Wille den Menschen verläßt, kann mich leicht das erniedrigende Schicksal einer Kartoffel, eines Pfannkuchens oder einer Kalbslende treffen. Aus diesem Grund allein müßte der Zolltarif geändert und die Einfuhr englischer Wollstoffe gefördert werden, denn sie sind stärker und leisten somit der Natur mehr Widerstand, wenn man von einem Krokodil verschlungen wird. Bei der nächsten Gelegenheit teile ich meine Idee irgendeinem unserer Staatsmänner mit, zugleich aber auch den politischen Leitartiklern unserer Petersburger Tageszeitungen. Sie sollen es hinausschreien. Ich hoffe, daß sie nicht das allein bei mir lernen. Ich sehe es kommen, daß mich jeden Morgen ganze Scharen von Zeitungsschreibern, mit Fünfundzwanzigkopekenstücken auf Kosten ihrer Redaktionen bewaffnet, umdrängen, um meine Gedanken über die gestrigen telegraphischen Meldungen zu hören. Mit einem Wort, die Zukunft erscheint mir im rosigsten Lichte.«

»Das Fieber, das Fieber!« flüsterte ich vor mich hin.

»Und die Freiheit, mein lieber Freund?« sagte ich, um seine Meinung ganz zu erfahren. »Du bist doch sozusagen im Gefängnis, während der Mensch sich der Freiheit erfreuen soll!«

»Du bist dumm«, erwiderte er, »der Wilde liebt die Unabhängigkeit, der Weise die Ordnung, und es gibt keine Ordnung ohne …«

»Iwan Matwejewitsch, erbarme dich!«

»Sei still und höre zu!« kreischte er entrüstet, weil

ich ihm ins Wort gefallen war. »Nie hat mein Geist sich so hoch erhoben wie jetzt. In meinem engen Asyl fürchte ich nur eins: die literarische Kritik der großen Monatsschriften und das Gezisch unserer satirischen Blätter. Ich fürchte, daß mich leichtsinnige Besucher, Narren und Neider und überhaupt Nihilisten zur Zielscheibe ihres Spottes machen werden. Aber ich werde schon meine Maßnahmen treffen. Mit Ungeduld erwarte ich die morgigen Urteile des Publikums, vor allem aber die Berichte der Zeitungen. Davon mußt du mir morgen sofort erzählen.«

»Schön. Ich bringe dir morgen einen ganzen Haufen Zeitungen.«

»Morgen können wir noch keine Zeitungsberichte erwarten, denn Anzeigen werden erst am vierten Tage gedruckt. Von nun ab komm jeden Abend durch den Nebeneingang vom Hofe aus. Ich beabsichtige, dich zu meinem Sekretär zu machen. Du wirst mir aus den Zeitungen und Zeitschriften vorlesen, und ich werde dir meine Gedanken diktieren und Aufträge erteilen. Vor allem achte auf die telegraphischen Nachrichten. Daß mir jeden Tag alle europäischen Pressetelegramme hier sind! Doch genug; du wirst wohl auch schläfrig sein. Geh nach Hause und denke nicht an das, was ich eben über die Kritik gesagt habe, ich fürchte sie nicht, denn sie befindet sich selbst in einer kritischen Lage. Man braucht nur weise und tugendhaft zu sein und wird alsbald auf ein Piedestal erhoben. Wenn kein Sokrates, so ein Diogenes oder beides zugleich – das ist meine künftige Rolle in der Geschichte der Menschheit.«

So leichtsinnig und aufdringlich sprach Iwan Matwejewitsch (freilich im Fieber) mit mir, gleich jenen charakterlosen Weibern, von denen das Sprichwort sagt, daß sie nichts für sich behalten könnten. Auch alles, was er mir vom Krokodil erzählt hatte, kam mir sehr verdächtig vor. Wie war es denn möglich, sich das Krokodil innen ganz hohl zu denken? Ich wette, das hatte er nur prahlerisch hinzugelogen, zum Teil vielleicht auch deshalb, um mich herabzusetzen. Freilich war er krank, und einem Kranken muß man entgegenkommen; ich gestehe aber offen, daß ich Iwan Matwejewitsch nie leiden konnte. Mein ganzes Leben lang, von Kindheit an, wünschte ich, von seiner Bevormundung loszukommen, und konnte es nicht. Tausendmal wollte ich mich endgültig mit ihm überwerfen, und jedesmal zog es mich wieder zu ihm, als hoffte ich immer noch, ihm etwas zu beweisen, mich für etwas an ihm zu rächen. Eine sonderbare Freundschaft! Ich kann mit Bestimmtheit sagen, daß meine Freundschaft zu neun Zehnteln im Haß wurzelte. Diesmal trennten wir uns übrigens mit viel Gefühl.

»Ihr Freund sehr kluge Mensch!« sagte der Deutsche halblaut zu mir, als er mich hinausbegleitete. Er hatte uns die ganze Zeit über fleißig zugehört.

»Apropos«, sagte ich, »daß ich's nicht vergesse: Was verlangen Sie für Ihr Krokodil, für den Fall, daß Ihnen jemand das Tier abkaufen wollte?«

Iwan Matwejewitsch, der die Frage gehört hatte, wartete gespannt auf die Antwort. Er wünschte augenscheinlich nicht, daß der Deutsche seinen Preis zu niedrig ansetze; zum mindesten räusperte er sich sehr bedeutungsvoll bei meiner Frage.

Zuerst wollte der Deutsche nichts davon wissen und wurde sogar böse.

»Niemand nicht darf kaufen mein Krokodil!« schrie er wütend und wurde rot wie ein gekochter Krebs. »Ich will nicht verkaufen Krokodil! Ich habe bekommen von Publikum heute einhundertdreißig Taler, und ich kriege morgen zehntausend, und dann hunderttausend jeden Tag! Ich will nicht verkaufen!«

Iwan Matwejewitsch kicherte vor Vergnügen.

Ich nahm mich zusammen, denn ich erfüllte die Pflicht eines wahren Freundes und gab dem verrückten Deutschen kaltblütig und überlegen zu verstehen, daß seine Berechnung nicht ganz stimme; wenn er mit einer täglichen Einnahme von hunderttausend Rubel rechne, werde ganz Petersburg in vier Tagen bei ihm gewesen sein, und dann werde niemand mehr kommen; über Leben und Tod habe Gott allein Gewalt; das Krokodil könne unversehens platzen, Iwan Matwejewitsch könne krank werden und sterben und so weiter.

Der Deutsche wurde nachdenklich.

»Ich gebe ihm Tropfen aus Apotheke«, sagte er nach einiger Überlegung, »und Ihr Freund wird nicht sterben.«

»Tropfen sind Tropfen«, sagte ich, »aber bedenken Sie auch, daß es zu einem Gerichtsprozeß kommen kann. Die Gattin Iwan Matwejewitschs kann ihren legitimen Gatten zurückverlangen. Sie haben die Absicht, reich zu werden, aber sind Sie auch gewillt, Jelena Iwanowna eine Pension zu zahlen?«
»Nix Pension!« antwortete der Deutsche entschieden und streng.
»Nix Pension!« bestätigte mit einer gewissen Wut *Mutter*.
»Wäre es demnach nicht besser, Sie ließen sich lieber gleich mit einer zwar mäßigen, aber immerhin auskömmlichen und vor allem sicheren Summe abfinden, als ins Ungewisse zu steuern? Ich halte es für meine Pflicht hinzuzufügen, daß ich nicht aus müßiger Neugier frage.«
Der Deutsche nahm seine Mutter und zog sich mit ihr zur Beratung in den Winkel zurück, wo der Schrank mit dem größten und scheußlichsten Affen der ganzen Sammlung stand.
»Du wirst schon sehen!« sagte Iwan Matwejewitsch.
Was mich betrifft, so brannte ich in diesem Augenblick vor Begierde, erstens: den Deutschen ordentlich zu verprügeln, zweitens: *Mutter* noch ordentlicher zu verprügeln, drittens: Iwan Matwejewitsch am ordentlichsten zu verprügeln für seinen grenzenlosen Ehrgeiz. Doch dies alles, das war noch gar nichts im Vergleich zur Antwort des habgierigen Deutschen.

Nach einer kurzen Beratung mit seiner Mutter verlangte er für sein Krokodil fünfzigtausend Rubel in Prämienscheinen der jetzigen internen Lotterieanleihe, ein Steinhaus in der Gorochowaja mit einer eigenen Apotheke und außerdem noch den Rang eines russischen Obersten.

»Siehst du!« rief Iwan Matwejewitsch triumphierend, »ich habe es dir gesagt! Abgesehen von dem letzten unsinnigen Wunsch, Oberst zu werden, hat er vollauf recht, denn er erkennt vollauf den jetzigen Wert des ihm gezeigten Ungeheuers. Das ökonomische Prinzip über alles!«

»Erbarmen Sie sich!« schrie ich den Deutschen wütend an. »Wofür wollen Sie Oberst werden? Was für eine Heldentat haben Sie denn begangen, was für einen Dienst haben Sie geleistet, was für Kriegsruhm haben Sie erworben? Sind Sie, nach alledem zu schließen, nicht verrückt?«

»Verrückt!« rief der Deutsche gekränkt. »Nein, ich bin sehr kluges Mensch, aber Sie sehr dumm! Ich habe verdient Oberst, weil ich habe gezeigt Krokodil, und drin sitzt lebendiger Hofrat, aber Russe nicht kann zeigen Krokodil, und darin sitzt lebendiger Hofrat. Ich bin überaus kluger Mensch und will sein Oberst!«

»Also lebe wohl, Iwan Matwejewitsch!« rief ich zitternd vor Wut und rannte aus der Krokodilbude. Ich fühlte deutlich: noch einen Augenblick, und ich hätte mein Tun nicht mehr verantworten können. Die übertriebenen Hoffnungen dieser beiden Narren waren unerträglich. Die kühle Luft draußen erfrischte mich, und meine Empörung legte sich etwas. Endlich, nachdem ich wohl fünfzehnmal energisch nach rechts und nach links gespuckt hatte, nahm ich eine Droschke, fuhr nach Hause, kleidete mich aus und warf mich auf mein Bett. Was mich am meisten ärgerte, waren die Sekretärsdienste, die er von mir verlangte. Ich konnte jetzt also jeden Abend vor Langeweile aus der Haut fahren, wenn ich die Pflichten eines wahren Freundes erfüllte. Ich hätte mich dafür verprügeln können, und als ich das Licht gelöscht hatte und unter meine Decke gekrochen war, schlug ich mich in der Tat mit der Faust mehrmals auf den Kopf und einige andere Körperteile. Das erleichterte mich einigermaßen, und ich schlief endlich ziemlich fest ein, denn ich war sehr müde. Die ganze Nacht träumte ich nur von Affen, erst gegen Morgen erschien mir Jelena Iwanowna …

4

Die Affen waren mir wohl deshalb im Traum erschienen, weil sie im Schrank des Krokodilbesitzers gesessen hatten; aber Jelena Iwanowna stellte ein eigenes Kapitel dar.

Ich sage es gleich: ich liebte diese Dame; aber ich beeile mich – und zwar mit Eilzuggeschwindigkeit –

hinzuzufügen: ich liebte sie wie ein Vater, nicht mehr und nicht weniger. Ich schließe das daraus, daß ich häufig von dem unbezwinglichen Wunsch erfaßt wurde, ihr Köpfchen oder ihre rote Backe zu küssen. Und obgleich ich diesen Wunsch nie verwirklicht habe, so bekenne ich doch, daß ich nicht abgeneigt gewesen wäre, sie sogar auf den Mund zu küssen. Und nicht nur den Mund, sondern auch die Zähne, die immer so reizend hervortraten, wenn sie lachte – wie eine Reihe entzückender, ausgesuchter Perlen. Und sie lachte erstaunlich oft. Iwan Matwejewitsch nannte sie in zärtlicher Stimmung gerne »mein lieber Unsinn« – eine ungemein zutreffende und charakteristische Bezeichnung. Sie war ein Bonbon und weiter nichts. Daher verstehe ich überhaupt nicht, wie der gute Iwan Matwejewitsch darauf kam, sich seine Gattin plötzlich als russische Eugénie Tour zu denken. Jedenfalls hatte mein Traum, wenn man von den Affen absieht, einen höchst angenehmen Eindruck bei mir hinterlassen, und als ich morgens bei einer Tasse Tee alle Ereignisse des gestrigen Tages Revue passieren ließ, beschloß ich sofort, auf dem Weg ins Amt bei Jelena Iwanowna vorzusprechen, wozu ich übrigens in meiner Eigenschaft als Hausfreund geradezu verpflichtet war.

In dem winzigen Zimmerchen vor dem Schlafzimmer, dem sogenannten kleinen Salon – obgleich auch ihr »großer« Salon sehr klein war –, saß Jelena Iwanowna auf einem kleinen, eleganten Diwan in einem luftigen, duftigen Morgenjäckchen an einem kleinen Teetisch und trank Kaffee aus einer winzigen Tasse, in die sie einen winzigen Zwieback tauchte. Sie war bezaubernd schön, schien mir aber auch sehr nachdenklich zu sein.

»Ach, Sie sind es, Sie Schelm!« begrüßte sie mich mit zerstreutem Lächeln. »Setzen Sie sich, Sie Leichtfuß, und trinken Sie Kaffee. Nun, was haben Sie gestern getrieben? Waren Sie auf dem Maskenball?«

»Waren denn Sie dort? Ich besuche solche Veranstaltungen nicht. Außerdem war ich gestern bei unserem Gefangenen.«

Ich seufzte, nahm die Kaffeetasse entgegen und machte eine sanfte Miene.

»Bei wem? Was für ein Gefangener? ... Ach so, der arme Kerl. Nun, langweilt er sich? Ja, wissen Sie ... ich wollte Sie fragen ... Ich kann mich jetzt doch scheiden lassen?«

»Scheiden lassen?« schrie ich entrüstet und hätte beinahe den Kaffee verschüttet. Das ist der Schwarze! dachte ich zornbebend.

Es gab nämlich einen Jüngling mit schwarzen Locken und schwarzem Schnurrbart, der beim Bauamt angestellt war und gar zu fleißig in ihrem Haus verkehrte. Er verstand es meisterhaft, Jelena Iwanowna zum Lachen zu bringen. Ich gestehe, daß ich ihn haßte, und es war kaum zu bezweifeln, daß er gestern Jelena Iwanowna gesprochen hatte, vielleicht auf dem Maskenball, vielleicht auch hier im Haus, und daß er ihr weiß Gott was alles vorgeschwatzt hatte.

»Ja, warum nicht?« fing Jelena Iwanowna plötzlich sehr erregt an, und es schien mir, als wiederholte sie nur, was man ihr beigebracht hatte. »Er sitzt da im Krokodil und kommt vielleicht nie im Leben zurück, und ich soll ewig auf ihn warten! Ein Ehemann muß in seinem Haus wohnen und nicht in einem Krokodil!«

»Das ist aber ein ganz unvorhergesehener Fall«, begann ich in sehr begreiflicher Unruhe.

»Ach nein, sagen Sie das nicht, ich will es nicht, will es nicht hören!« schrie sie plötzlich ganz erzürnt. »Sie müssen mir immer widersprechen, Sie nichtsnutziger Mensch. Mit Ihnen ist nichts anzufangen, Sie geben einem nie einen guten Rat! Ganz fremde Leute sagen mir schon, daß die Scheidung durchzusetzen sein muß, weil Iwan Matwejewitsch jetzt kein Gehalt mehr bezieht!«

»Jelena Iwanowna! Höre ich Sie reden?« rief ich pathetisch. »Welcher Bösewicht konnte Ihnen das einreden! Auch ist eine Scheidung aus einem so nichtigen Grund wie das Gehalt ganz unmöglich. Und der arme, arme Iwan Matwejewitsch glüht förmlich in Liebe zu Ihnen, sogar im Bauch des Ungeheuers! Mehr noch, er schmilzt vor Liebe wie ein Stückchen Zucker. Noch gestern abend, als Sie sich auf dem Maskenball amüsierten, sagte er, im äußersten Fall wolle er Sie als seine legitime Gattin zu sich in den

Bauch des Krokodils nehmen, zumal sich das Krokodil als sehr geräumig erwiesen hat und nicht nur zwei, sondern sogar drei Personen aufnehmen könnte ...«

Und nun erzählte ich ihr sofort die interessanteste Partie meines gestrigen Gespräches mit Iwan Matwejewitsch.

»Was? Was?« rief sie verwundert. »Sie wollen, daß ich hineinkrieche zu Iwan Matwejewitsch? Wie kommen Sie darauf? Wie soll ich das denn tun in Hut und Krinoline? Mein Gott, was für Dummheiten! Wie wird denn das aussehen, wenn ich hineinschlüpfe! Vielleicht schaut mir jemand zu! Das ist lächerlich! Und was soll ich dort essen? Und ... und was soll ich denn anfangen, wenn ... Mein Gott, was Sie sich ausdenken ... Und was gibt es da für Vergnügungen? ... Sie sagen, daß es dort nach Gummi elastikum riecht? Und wenn ich mich nun mit ihm zanke – wie soll ich da neben ihm liegen? Pfui, wie scheußlich!«

»Ich stimme Ihnen durchaus bei, liebste Jelena Iwanowna!« unterbrach ich sie mit dem begreiflichen Eifer, der sich des Menschen immer bemächtigt, wenn er fühlt, daß das Recht auf seiner Seite ist. »Sie haben aber eines nicht in Betracht gezogen, daß er nämlich ohne Sie nicht leben kann, wenn er Sie zu sich bittet. Es handelt sich also hier um Liebe, leidenschaftliche, treue sehnsüchtige Liebe ... Sie wissen seine Liebe nicht zu würdigen, beste Jelena Iwanowna!«

»Ich will nicht, ich will nicht, nicht einmal hören will ich davon!« sagte sie mit einer abwehrenden Bewegung ihrer kleinen hübschen Hand, an der ihre eben gewaschenen und mit einer kleinen Bürste geputzten rosigen Nägel schimmerten. »Sie widerlicher Mensch! Sie bringen mich zum Weinen. Kriechen Sie doch selbst hinein, wenn Ihnen das Vergnügen macht. Sie sind doch sein Freund, also legen Sie sich aus purer Freundschaft neben ihn und disputieren Sie mit ihm Ihr Leben lang über allerlei langweilige Wissenschaften ...«

»Sie spotten zu Unrecht über diesen Plan«, unterbrach ich die leichtsinnige Dame mit Würde. »Iwan Matwejewitsch hat mich ohnedies schon eingeladen. Natürlich müßte Sie die Pflicht dorthin treiben, mich dagegen nur die Großmut; doch als Iwan Matwejewitsch mir gestern von der außerordentlichen Dehnbarkeit des Krokodils erzählte, machte er eine sehr deutliche Anspielung, daß nicht nur für Sie beide, sondern auch für mich als Hausfreund Platz vorhanden sei. Wir könnten uns sehr gut zu dritt einrichten, besonders wenn ich Lust dazu hätte, also ...«

»Wie das? Zu dritt?« rief Jelena Iwanowna und sah mich erstaunt an. »Wie sollen wir denn ... alle drei da drin sitzen? Hahaha! Wie dumm ihr beide seid! Hahaha! Ich werde Sie dort die ganze Zeit kneifen, Sie Taugenichts, hahaha! Hahaha!«

Und sie warf sich auf die Rücklehne des Diwans und lachte, bis ihr die Tränen kamen. Dies alles, die Tränen und das Lachen, war so bezaubernd, daß ich mich nicht länger beherrschen konnte und leidenschaftlich ihre Hand zu küssen begann, was sie nicht verwehrte, obgleich sie mich zum Zeichen der Versöhnung leicht am Ohr zupfte.

Dann wurden wir beide sehr lustig, und ich schilderte ihr ausführlich alle gestrigen Pläne Iwan Matwejewitschs. Der Gedanke an die Empfangsabende in ihrem vornehmen Salon gefiel ihr sehr gut.

»Ich werde aber sehr viele neue Kleider brauchen«, bemerkte sie, »und deshalb muß mir Iwan Matwejewitsch möglichst bald und möglichst viel von seinem Gehalt schicken. Aber ... aber wie wird denn das sein?« fragte sie nachdenklich. »Wie wird man ihn denn im Kasten zu mir bringen? Das ist doch lächerlich. Ich will nicht, daß mein Mann in einem Kasten getragen wird. Ich würde mich vor den Gästen zu sehr schämen ... Ich will nicht, nein, ich will nicht.«

»Ja, daß ich es nicht vergesse – ist Timofej Semjonowitsch gestern bei Ihnen gewesen?«

»Ja freilich; er kam, mich zu trösten, und – stellen Sie sich vor! – wir haben zu zweit Sechsundsechzig gespielt. Er zahlte mit Konfekt, und wenn ich verlor, durfte er mir die Hand küssen. So ein Taugenichts! Und denken Sie nur! Fast wäre er mit mir zum Maskenball gefahren. Wirklich! Stellen Sie sich vor!«

»Er war bezaubert!« sagte ich. »Und wen könnten Sie nicht bezaubern, Sie Verführerin!«

»Da fangen Sie schon wieder mit Ihren Komplimenten an! Warten Sie, ich will Sie einmal kneifen, ehe Sie weggehen. Ich habe neuerdings das Kneifen sehr gut gelernt. Nun, wie finden Sie es? Ja, übrigens – Sie sagen, daß Iwan Matwejewitsch gestern sehr oft von mir geredet hat?«
»Nein, das gerade nicht, aber ... Ich muß gestehen, er denkt jetzt mehr an die Geschicke der ganzen Menschheit und will ...«
»Nun, mag er! Reden Sie nicht weiter! Es ist wahrscheinlich furchtbar langweilig. Ich werde ihn schon wieder einmal besuchen. Morgen fahre ich bestimmt hin. Nur heute nicht; ich habe Kopfschmerzen, und dann werden sicher viele Leute dort sein ... Dann wird es heißen: Da ist seine Frau! Und das ist mir peinlich ... Leben Sie wohl. Heute abend sind wohl ... dort?«
»Bei ihm, bei ihm. Er hat mir befohlen, zu kommen und Zeitungen mitzubringen.«
»Das ist ja famos. Also gehen Sie zu ihm und lesen Sie ihm vor. Zu mir kommen Sie aber heute nicht mehr. Ich bin nicht ganz wohl, vielleicht gehe ich auch aus. Nun leben Sie wohl, Sie Schelm.«
Der Schwarze wird wohl heute bei ihr sein, dachte ich.
In der Kanzlei ließ ich mir natürlich nicht anmerken, was für Sorgen mich plagten. Ich stellte aber bald fest, daß einige unserer fortschrittlichsten Zeitungen an diesem Tag unter meinen Kollegen merkwürdig

schnell von Hand zu Hand gingen und mit ungemein ernsten Gesichtern gelesen wurden. Die erste Zeitung, die mir in die Hand fiel, war das *Tageblatt*, ein Blättchen ohne jede bestimmte Richtung, nur ganz allgemein liberal – wofür es allgemein verachtet, nichtsdestoweniger aber sehr eifrig gelesen wurde. Nicht ohne eine gewisse Verwunderung las ich hier folgendes:

»Gestern gingen in unserer weitläufigen und mit prächtigen Gebäuden geschmückten Hauptstadt außerordentliche Gerüchte um. Ein gewisser N., in der vornehmen Gesellschaft als außerordentlicher Feinschmecker bekannt, schien der Küche von Borel und des Klubs satt geworden zu sein und begab sich in die *Passage*, in jene Schaubude, wo zur Zeit ein eben in die Hauptstadt gebrachtes riesiges Krokodil gezeigt wird, und verlangte, es ihm als Mittagessen zu servieren. Nachdem er mit dem Besitzer handelseinig geworden war, machte er sich sofort daran, das Tier noch lebend zu verschlingen, indem er mit seinem Taschenmesser saftige Stücke abschnitt und sie mit ungeheurer Hast verschlang. Nach und nach verschwand das ganze Krokodil in dem geräumigen Magen dieses Herrn, der sich darauf auch an das Ichneumon, den ständigen Begleiter des Krokodils, machen wollte, da er wahrscheinlich vermutete, daß dies ebenso gut schmecken würde. Wir sind durchaus nicht gegen dieses neue Nahrungsmittel, das ausländischen Gastronomen längst bekannt ist. Wir haben das sogar vorausgesagt. Die englischen Lords und Reisenden fangen in Ägypten die Krokodile in großen Mengen und essen den Rücken des Tieres als Beefsteak mit Senf, Zwiebeln und Kartoffeln. Die Franzosen, die mit Lesseps nach Ägypten gekommen sind, ziehen die Pfoten, in heißer Asche gebacken, vor – was sie übrigens tun, um die Engländer zu ärgern, die sich über sie lustig machen. Bei uns wird man vermutlich die eine wie die andere Zubereitung zu schätzen wissen. Wir begrüßen dieses neue Gebiet der Industrie, die in unserem großen und vielgestaltigen Vaterland noch lange nicht ausreichend entwickelt ist. Es dürfte sicher kein Jahr mehr vergehen, und diesem ersten Krokodil, das im Magen des Petersburger Feinschmeckers verschwand, werden Hunderte folgen. Und warum sollte man das Krokodil nicht in Rußland akklimatisieren? Wenn das Wasser der Newa für diese interessanten Ausländer zu kalt ist, so gibt es doch in unserer Hauptstadt auch Teiche und weiter draußen auch Flüsse und Seen. Warum könnte man zum Beispiel Krokodile nicht in Pargolowo oder in Pawlowsk züchten und in Moskau in den Presnja-Teichen oder in der Samotjoka? Sie würden nicht nur unseren vornehmen Feinschmeckern eine angenehme und bekömmliche Speise liefern, sondern auch den an diesen Teichen promenierenden Damen eine angenehme Zerstreuung bereiten und den Kindern naturwissenschaftliche Kenntnisse vermitteln. Aus ihrer Haut könne man Futterale, Koffer, Zigarettenetuis und Brieftaschen verfertigen, und so manches Tausend Rubel in speckigen Banknoten, wie sie bei unserer Kaufmannschaft besonders beliebt sind, käme zwischen Krokodilhäute zu liegen. Wir hoffen noch öfter auf dieses interessante Thema zurückzukommen.«

Ich hatte zwar schon etwas Ähnliches geahnt, war aber dennoch durch die Leichtfertigkeit dieser Behauptungen verblüfft. Weil ich niemanden hatte, mit dem ich meine Gedanken austauschen konnte, wandte ich mich dem mir gegenübersitzenden Prochor Sawitsch zu, da ich bemerkt hatte, daß er mich schon seit einiger Zeit beobachtete; dabei hielt er die *Stimme* in den Händen, anscheinend in der Absicht, sie an mich weiterzugeben. Schweigend nahm er von mir das *Tageblatt* entgegen und reichte mir die *Stimme* herüber, wobei er einen Aufsatz, auf den er mich wohl besonders aufmerksam machen wollte, kräftig mit dem Fingernagel angestrichen hatte. Dieser Prochor Sawitsch war ein ganz eigentümlicher Mensch: ein schweigsamer alter Hagestolz, der mit keinem Kollegen verkehrte, kaum mit einem sprach und über alle Dinge seine eigene Meinung hatte, sie aber nur sehr ungern aussprach. Er lebte ganz einsam. In seiner Wohnung war keiner von uns gewesen.
Folgendes las ich an der bezeichneten Stelle in der *Stimme*:

Am nächsten Tag erschien in der Zeitung Die Stimme *folgender Artikel:*

»Es ist allen bekannt, daß wir Russen fortschrittlich und human sind und es in allem Europa gleichtun wollen. Doch ungeachtet aller Bemühungen und Anstrengungen unserer Zeitung sind wir noch lange nicht ›reif‹, wovon ein empörender Vorgang zeugt, der sich gestern in der *Passage* abspielte und den wir schon vorausgesagt hatten. Da kommt ein ausländischer Unternehmer in unsere Hauptstadt und bringt ein Krokodil mit, das er in der *Passage* dem Publikum zeigt. Wir beeilten uns sofort, diesen neuen Zweig einer nützlichen Industrie, an der es unserem starken und vielgestaltigen Vaterland so sehr fehlt, freudig zu begrüßen. Gestern aber, um halb fünf Uhr nachmittags, erscheint in der Schaubude des Ausländers plötzlich ein Mann von ungeheurer Korpulenz, in betrunkenem Zustand, zahlt für den Eintritt und stürzt sich sofort, ohne vorherige Warnung, in den Rachen des Krokodils, das natürlich gezwungen war, ihn zu verschlingen, sei es auch nur aus Selbsterhaltungstrieb, um nicht zu ersticken. Nachdem er so in das Innere des Krokodils eingedrungen ist, schläft der Fremde sofort ein. Weder das Geschrei des ausländischen Unternehmers noch das Jammern seiner entsetzten Familie noch die Drohung, sich an die Polizei zu wenden, machen auch nur den geringsten Eindruck auf ihn. Aus dem Inneren des Krokodils vernimmt man nur Hohngelächter und die Drohung, die Jammernden mit Rutenhieben (sic!) zum Schweigen zu bringen, und das arme Säugetier, das diese ungeheure Masse verschlingen mußte, vergießt hilflose Tränen. Ein ungebetener Gast ist schlimmer als ein Tatare, sagt das Sprichwort, aber dessenungeachtet denkt der freche Besucher nicht daran, herauszukommen.

Wir finden keine Erklärung für ein derartiges barbarisches Verfahren, das nur von unserer Unreife Zeugnis ablegt und uns in den Augen der Ausländer verächtlich macht. Die Rücksichtslosigkeit der russischen Natur hat sich hier wieder einmal glänzend offenbart. Es fragt sich, was wollte der ungebetene Gast haben? Ein warmes und komfortables Quartier? In unserer Hauptstadt gibt es genug schöne Häuser mit billigen und sehr gut eingerichteten Wohnungen, Wasserleitung und Gasbeleuchtung auf der Treppe, oft auch mit einem vom Hausbesitzer bezahlten Portier. Wir machen unsere Leser auch noch auf die barbarische Behandlung der Haustiere aufmerksam. Das angereiste Krokodil kann natürlich eine so ungeheure Masse nicht mit einem Mal verdauen und liegt nun aufgeblasen da und sieht unter furchtbaren Schmerzen den Tod kommen. In Europa wird inhumane Behandlung von Haustieren schon seit langem gerichtlich verfolgt. Aber trotz der europäischen Straßenbeleuchtung, der europäischen Trottoire, der europäischen Bauart, die sich bei uns eingebürgert

haben, wird es noch lange dauern, ehe wir unsere altgewohnten Vorurteile loswerden.
›Die Häuser neu, die Vorurteile alt‹ – und nicht einmal die Häuser sind neu, zum mindesten nicht die Treppen. Wir haben in unserem Blatt schon mehrmals erwähnt, daß auf der Petersburger Seite, im Haus des Kaufmanns Lukjanow, die untersten Stufen der Holztreppe verfault und eingefallen sind und längst eine Gefahr für die in seinen Diensten stehende Soldatenfrau Afimja Skapidarowa bedeuten, die gezwungen ist, die Treppe sehr häufig mit Wasser oder mit einem Bündel Holz hinaufzugehen. Endlich haben unsere Voraussagen sich erfüllt! Gestern abend um halb neun Uhr stürzte die Soldatenfrau Afimja Skapidarowa mit einer vollen Suppenterrine hin und brach sich das Bein. Wir wissen nicht, ob Lukjanow jetzt seine Treppe in Ordnung bringen wird; der Russe ist immer erst klug, wenn er vom Rathaus kommt; genug – das Opfer des russischen Leichtsinns ist bereits im Krankenhaus. Ebenso werden wir nicht müde zu verlangen, daß die Hausknechte, die auf der Wiborger Seite den Schmutz von den Holztrottoiren fegen, die Füße der Passanten nicht beschmutzen dürfen, sondern den Schlamm aufeinanderhäufen sollen, wie in Europa beim Reinigen des Schuhwerks und so weiter und so weiter.«
»Was ist denn das?« sagte ich und sah Prochor Sawitsch verwundert an. »Was soll das heißen?«
»Was denn?«

»Ich bitte Sie, statt Iwan Matwejewitsch zu bemitleiden, bemitleiden sie das Krokodil.«

»Warum denn nicht? Sogar ein Vieh, ein *Säugetier*, bemitleiden sie. Ist es nicht wie in Europa? Dort bemitleidet man die Krokodile. Hihihi!«

Nach diesen Worten vertiefte sich der Sonderling Prochor Sawitsch in seine Akten und sagte nichts mehr.

Die *Stimme* und das *Tageblatt* steckte ich in die Tasche, suchte außerdem zur Abendunterhaltung für Iwan Matwejewitsch so viele alte Nummern der *Nachrichten* und der *Stimme* zusammen, als ich finden konnte, und verschwand, obgleich es noch lange nicht Abend war, etwas früher aus der Kanzlei, um mich in die *Passage* zu begeben und wenigstens von ferne zu sehen, was dort vorging, und die verschiedenen Meinungen und Urteile zu hören. Ich ahnte, daß es dort ein furchtbares Gedränge geben würde, und hüllte auf alle Fälle mein Gesicht fester in den Mantelkragen, denn ich schämte mich vor irgend etwas – so wenig sind wir an Öffentlichkeit gewöhnt. Aber ich fühle, daß ich nicht das Recht habe, meine eigenen, prosaischen Empfindungen angesichts eines so außerordentlichen und originalen Ereignisses auszusprechen …

LAZARUS

LEONID ANDREEV

1

Als Lazarus dem Grabe entstiegen war, in dem er sich drei Tage und drei Nächte unter der rätselhaften Macht des Todes befunden hatte, als er lebendig in seine Behausung zurückkehrte, nahm man noch geraume Zeit die unsichtbaren Merkmale nicht wahr, die mit den Jahren selbst seinen bloßen Namen furchtbar machten. In heller Freude hegten Freunde und Nahestehende den dem Leben Wiedergegebenen, und in Sorge um seine Nahrung und Kleidung stillten sie ihre brennende Neugier. Prunkvoll kleideten sie ihn in Farben der Hoffnung und des Lachens, und als er wie ein Bräutigam im Hochzeitsgewande wieder unter ihnen am Tische saß und als er wieder aß und trank, da weinten sie vor Ergriffenheit und riefen die Nachbarn herbei, um den so wunderbar Auferstandenen zu zeigen. Die Nachbarn kamen, auch sie waren ergriffen und froh; auch unbekannte Menschen kamen aus weit entfernten Städten und Dörfern, und alle gaben in stürmischen Rufen ihrer Verehrung des Wunders Ausdruck – es war, als ob Bienen um Marias und Marthas Haus summten.

Und alles, was im Antlitz und an den Gebärden des

Lazarus fremd erschien, das erklärte man sich auf ganz natürliche Weise, als Folge seiner schweren Krankheit und der überstandenen Erschütterung. Offenbar war das Zerstörungswerk des Todes an seiner Leiche durch den Eingriff der wunderbaren Macht nur zum Stehen gebracht, aber nicht gänzlich getilgt worden, und so glich das, was der Tod am Antlitz und am Leib des Lazarus vollbracht hatte, dem Werk eines großen Malers, einer unvollendeten Zeichnung hinter dünnem Glas.

An den Schläfen, unter seinen Augen und in der Höhlung seiner Wangen schattete dichte erdige Bläue, und ebenso irdenblau waren die langen Finger seiner Hände, an deren im Grabe nachgewachsenen Nägeln das Blau sich dunkelpurpurn vertiefte; am Leib und an den Lippen war die im Grabe aufgequollene Haut geplatzt, und an diesen Stellen blieben kleine rötliche Risse, die glänzten wie durchsichtiger Glimmer. Und dick war er geworden. Der im Grabe angeschwollene Körper behielt diese ungeheuerlichen Ausmaße, diese furchtbaren Wölbungen, hinter denen man die übelriechende Nässe der Zersetzung ahnte. Doch der schwere Geruch, der Lazarus' Leichengewänder und selbst seinen ganzen Leib durchtränkt hatte, war bald gänzlich verflogen, und nach einiger Zeit schwand auch die Bläue seines Gesichts und seiner Hände, und auch die rötlichen Risse glätteten sich, wiewohl sie nie mehr ganz verschwanden. Mit diesem Gesicht stand er vor den Menschen in seinem zweiten Leben. Jedoch erschien sein Anblick all denen natürlich, die ihn im Grabe gesehen hatten. Aber nicht nur Lazarus' Antlitz, auch sein Wesen schien verändert – doch auch diese Wandlung rief keinerlei Erstaunen hervor und blieb unbemerkt. Vor seinem Tode war Lazarus immer fröhlich und sorglos gewesen, er hatte das Lachen und arglose Scherze geliebt, und durch diesen steten wohltuenden Frohsinn, der so ganz ohne Bosheit und Düsternis war, gewann er das Herz seines *Meisters*. Jetzt aber war er ernst und schweigsam: nie mehr brachte er einen Scherz oder ein Lachen als Antwort auf den Spaß eines anderen über die Lippen, und die wenigen Worte, die er zuweilen sagte, waren die einfachen, gewöhnlichen und unentbehrlichen Worte ohne Inhalt und Tiefe, den Lauten verwandt, mit denen die Tiere Schmerz und Freude, Hunger und Durst bekunden. Solche Worte mag ein Mensch ein ganzes Leben lang gebrauchen, und niemals wird man aus ihnen erkennen können, worüber seine Seele jauchzte und woran sie litt.

So, mit dem fahlen Leichengesicht, das drei Tage in der Finsternis der Macht des Todes preisgegeben war – in prächtigen Gewändern eines Bräutigams, schimmernd in gelbem Gold und blutigem Purpur, schweigend und schwer, bis zum Entsetzen anders und abgesondert, doch von keinem erkannt –, so saß Lazarus beim Festmahl inmitten seiner Freunde und Verwandten. Bald zärtlich, bald stürmisch umbrandete ihn die Begeisterung; und warme Blicke voll Liebe hingen an seinem Gesicht, das die Grabeskälte in sich trug; die heiße Hand eines Freundes streichelte seine blauen, schweren Finger. Und Musik erklang dabei. Man holte Musikanten, und sie spielten fröhlich auf: Zimbel und Schalmei, Zither und Laute. Es war, als ob Bienen summten, als ob Grillen zirpten, als ob Vögel sängen über dem glücklichen Hause Marias und Marthas.

2

Irgendeiner, ein Unvorsichtiger, lüftete den Schleier. Irgendeiner, ein Unvorsichtiger, zerstörte durch den Hauch eines hingeworfenen Wortes den lichten Zauber und deckte die häßliche Nacktheit der Wahrheit auf. In seinem Kopfe war der Gedanke noch verworren, als sein lächelnder Mund fragte:
»Warum erzählst du uns nicht, Lazarus, wie es dort gewesen?«
Da verstummten alle, bestürzt von dieser Frage. Als hätten sie jetzt erst begriffen, daß Lazarus drei Tage tot gewesen war, starrten sie ihn neugierig an und warteten auf seine Antwort; aber Lazarus schwieg.
»Du willst uns nicht erzählen?« – verwunderte sich der Fragende. »Ist es denn dort so furchtbar?«
Und wieder kam sein Denken hinter den Worten her; wäre es ihnen vorausgeeilt, er würde die Frage nicht

ausgesprochen haben, die Frage, die im gleichen Augenblick sein eigenes Herz in unerträglicher Angst zusammenpreßte. Beklommen wurde es allen zumute, und voll Sehnsucht warteten sie auf Lazarus' Antwort; er aber schwieg kalt und streng und hielt seine Augen gesenkt. Und da erst sahen sie auf einmal die furchtbare Bläue seines Antlitzes und seine widerliche Fülle; purpurn und blau, wie vergessen, lag seine Hand auf dem Tisch, und aller Blicke hingen an ihr, unbeweglich und willenlos, als sei von ihr die begehrte Antwort zu erhalten. Noch spielten die Musikanten, aber da griff das Schweigen auch nach ihnen, und wie Wasser die glimmende Glut, so löschte es jäh die munteren Töne. Es schwieg die Schalmei; es verstummten die klingende Zimbel und die rauschende Leier; als sei eine Saite zerrissen, als sei ein Lied erstorben, verhallte mit abgerissenem, bebendem Klageton die Zither. Und es wurde ganz still.

»Du willst nicht?« wiederholte der Fragende, seiner geschwätzigen Zunge nicht mehr mächtig. Es war still, und die purpurblaue Hand blieb unbeweglich liegen. Da regte sie sich kaum merklich, und schon atmeten alle erleichtert auf und erhoben die Augen. Alles mit einem Blick umfassend, schwer und furchtbar, mitten ins Angesicht, blickte ihnen der auferstandene Lazarus.

Dies geschah am dritten Tage, nachdem Lazarus dem Grab entstiegen war. Seit jener Stunde erfuhren viele die vernichtende Gewalt seines Blickes, doch weder die, welche unter ihm für immer zerbrachen, noch andere, die in den Urquellen des Lebens – des wie der Tod selbst rätselvollen Lebens – den Willen zum Widerstand gefunden hatten, vermochten das Grauen zu ergründen, das unbeweglich in der Tiefe seiner schwarzen Pupillen lag. Einfach und ruhig sah Lazarus die Menschen an, ohne die Absicht, etwas zu verbergen, aber auch ohne den Wunsch, etwas zu sagen – beinahe kalt blickte er, wie einer, dem alles Lebendige unsagbar gleichgültig geworden ist. Und viele sorglose Menschen gingen dicht an ihm vorüber, ohne ihn zu erkennen, und erfuhren erst später mit Erstaunen und Furcht, wer sie in ruhiger Selbstbewußtheit mit dem Saum seiner grellen und prunkvollen Gewänder gestreift. Die Sonne verlor nicht ihren Glanz, wenn Lazarus die Menschen anschaute, der Springbrunnen hörte nicht auf zu rauschen, und der vertraute Himmel blieb ebenso wolkenlos blau ... Jedoch im Banne jenes rätselvollen Blickes fühlte der Mensch keine Sonnenwärme, hörte er nicht mehr das Rauschen des Wassers und wurde fremd unter dem eigenen Himmel. Zuweilen weinte einer dann, zuweilen raufte er sein Haar und rief nach anderen um Hilfe; doch meistens starb er ruhig und gleichgültig, starb jahrelang und vor aller Augen, starb farblos, fade und langweilig wie ein auf steinigem Grunde verdorrender Baum. Von denen, die sich wehrten, schrien und tobten, kehrte manchmal einer ins Leben zurück, von den anderen aber – keiner.

»Also du willst uns nicht erzählen, Lazarus, was du dort geschaut hast?« wiederholte der Fragende zum dritten Mal. Nun klang seine Stimme gleichgültig und matt, und tote graue Langeweile blickte aus seinen erloschenen Augen. Und die gleiche tote graue Langeweile lag wie Staub über den Gesichtern der anderen, und in dumpfer Verwirrung sahen die Gäste einander an, ohne zu begreifen, wozu sie sich hier um den reichbestellten Tisch versammelt hatten. Sie sprachen nicht mehr. Sie überlegten gleichgültig und fanden es an der Zeit, nach Hause zu gehen, doch konnten sie die zähe faule Langeweile, die alle Glieder entkräftete, nicht überwinden und blieben sitzen, unerreichbar füreinander, wie trübe Lichter, zerstreut im nächtlichen Felde.
Nur die Musikanten, die für ihr Spiel bezahlt wurden, griffen wieder nach ihren Instrumenten; wieder flossen und hüpften die fröhlichen und traurigen Töne. Die gleichen vertrauten Harmonien entfalteten sich – doch wie überrascht lauschten die Gäste: auf einmal wußten sie nicht mehr, wozu es gut war, daß Menschen Saiten zupften, durch dünne Rohre mit geblähten Backen bliesen und pfiffen und diesen seltsam-vielstimmigen Lärm verursachten.
»Wie schlecht sie spielen!« sagte jemand.
Da waren die Musikanten gekränkt und gingen davon. Einer nach dem anderen folgten ihnen die Gäste, denn die Nacht brach herein. Und als das ruhige Dunkel sie von allen Seiten umfing und ihnen das

Atmen leichter ward, stand plötzlich vor jedem in drohendem Glanze Lazarus' Bild: das blaue Leichengesicht, die Hochzeitsgewänder, prunkvoll und grell, und der kalte Blick, in dessen Tiefen das Grauen reglos erstarrte. Wie in Stein verwandelt, verhielten die Menschen, wo sie gerade gingen, und Finsternis umgab sie alle; in der Finsternis aber loderte die furchtbare Erscheinung, das unerhörte Bild dessen, der drei Tage in der Macht des Todes gewesen war. Drei Tage war er tot; dreimal ging die Sonne auf und wieder unter, doch er war tot; Kinder spielten, Wasser plätscherte über die Steine, heißer Staub wirbelte durch die Straßen – doch er war tot. Und jetzt, jetzt ging er wieder unter den Menschen – berührte sie – sah sie an – sieht sie an! Und durch die schwarzen Kreise seiner Pupillen, wie durch dunkle Gläser, sieht er den Menschen das unfaßbare »Drüben« an.

3

Bald sorgte keiner mehr für Lazarus; ihm blieben nicht Verwandte noch Freunde, und die große Wüste, die die Heilige Stadt umfangen hielt, schlich bis zur Schwelle seiner Wohnstätte heran. Sie trat herein in sein Haus, breitete sich auf dem Lager aus wie ein Weib und löschte die Lichter. Keiner sorgte für Lazarus. Eine nach der anderen gingen auch seine Schwestern Maria und Martha. Lange sträubte sich Martha, ihn zu verlassen, weil sie nicht wußte, wer für ihn sorgen und wer ihn dann pflegen würde; sie weinte und betete viel. Einmal aber, bei Nacht, als der Wind über die Wüste jagte und die Zypressen sich rauschend über das Dach neigten, stand sie leise auf, und leise ging sie. Lazarus hörte wohl, wie die Tür knarrte und wie sie, offengeblieben, im Winde gegen die Balken schlug, aber er erhob sich nicht, trat nicht heraus und sah nicht hin. Nachtlang bis zum Morgen rauschten über seinem Haupt die Zypressen und schlug klagend die Tür, während die kalte, gierig schleichende Wüste in sein Haus eindrang. Man mied ihn wie einen Aussätzigen, und man beschloß sogar, ihm ein Glöckchen, wie es die Unreinen tragen, um den Hals zu hängen, um jede Begegnung mit ihm zu verhindern. Aber einer meinte erschauernd, daß es unheimlich wäre, das Geläut dieses Glöckchens nachts unter den Fenstern zu hören. Da erbleichten alle und gaben ihm recht.

Und weil Lazarus selbst nicht für seinen Unterhalt sorgte, wäre er wahrscheinlich Hungers gestorben, wenn nicht die Nachbarn aus einer dunklen Furcht heraus ihm Nahrung gebracht hätten. Kinder trugen sie ihm zu. Sie fürchteten Lazarus nicht, aber sie lachten auch nicht über ihn, wie sie sonst in unbewußter Grausamkeit Unglückliche verspotten. Sie blieben gleichgültig, und dieselbe Gleichgültigkeit brachte auch Lazarus ihnen entgegen; er fühlte kein Verlangen, ihnen zu danken, keinen Wunsch, über

ein schwarzes Köpfchen zu streicheln und in die treuherzig strahlenden Augen zu sehen. Sein Haus verfiel, der Zeit und der Wüste preisgegeben, und längst waren die hungrig meckernden Ziegen zu den Nachbarn geflüchtet. Auch seine Hochzeitsgewänder verfielen. Wie er sie an jenem glücklichen Tage, an dem die Musikanten spielten, angezogen hatte, so trug er sie auch weiter, ohne sie zu wechseln oder zu erneuern, als habe er die Empfindung für den Unterschied zwischen Zerstörtem und Heilem verloren. Die grellen Farben welkten und verblaßten; böse Straßenhunde und spitze Dornen verwandelten das zarte Gewebe in Fetzen. Am Tage, wenn die unerbittliche Sonne todbringend für alles Lebendige wurde, wenn selbst Skorpione unter die Steine flüchteten und sich dort vor unbändiger Stechbegier krümmten, da saß er unbeweglich in der Glut und hielt das blaue Gesicht und den wilden, zottigen Bart empor. Einst, als man noch mit ihm redete, fragte man ihn wohl: »Armer Lazarus, tut es dir gut, so zu sitzen und in die Sonne zu sehen?« Da antwortete er: »Ja, das ist gut!« »So stark muß gewiß die dreitägige Kälte des Grabes, so tief seine Finsternis gewesen sein, daß es auf Erden keinen Glanz und keine Glut gibt, die ihn erwärmen und das Dunkel vor seinen Augen lichten können.« So dachten dann die Fragenden und traten seufzend beiseite.
Wenn aber der purpurrote Ball zur Erde sank, wanderte Lazarus in die Wüste hinaus, immer der Sonne

nach, fast als wollte er sie einholen. Immer der Sonne nach ging er, und den Menschen, die versuchten, seinen Weg zu erkunden, um zu erfahren, was er nachts in der Wüste suchte, prägte sich der schwarze Schatten eines mächtigen Mannes im riesenhaft rotglühenden Diskus unauslöschlich ein. Die Schrecken der Nacht vertrieben die Neugierigen, die nie erfuhren, was Lazarus draußen tat, aber das schwarz-rote Bild brannte in ihren Seelen und wollte nicht weichen. Wie ein Tier, das wütend mit den Pfoten den Kopf reibt, weil etwas in sein Auge geriet, so rieben sie stumpfsinnig ihre Augen, aber Lazarus' Gabe blieb unauslöschlich und ließ sich wohl erst mit dem Tode vergessen.
Doch es gab ja auch Menschen, die weit entfernt wohnten, die von Lazarus nur gehört, ihn aber noch nie gesehen hatten. Voll jener verwegenen Neugierde, die stärker als die Angst ist und von der Angst sich nährt, kamen sie, heimlichen Spott im Herzen, von weit her zu ihm, der in der Sonne saß, und begannen ein Gespräch. Damals hatte sich sein Anblick schon günstig verändert, und er wirkte weniger furchterregend als vorher; zunächst schnippten sie mit den Fingern und ließen sich mißbilligend über die Dummheit der Bewohner der Heiligen Stadt aus. Wenn aber das kurze Gespräch beendet war, und sie sich heimwärts wandten, sahen sie derart verändert aus, daß eben diese Bewohner sie sogleich erkannten und zueinander sagten: »Da geht noch solch ein Tor,

den Lazarus angesehen hat!« Und sie hoben die Arme empor und schwiegen bedauernd.
Mit klirrenden Waffen schritten Krieger vorbei, die keine Furcht kannten; glückliche Jünglinge kamen singend und lachend; geschäftige Kaufleute, in deren Taschen Münzen klimperten, eilten vorüber; hochmütige Tempelpriester ließen ihre Stäbe an seiner Türe stehen – und keiner ging von ihm, wie er gekommen war. Der gleiche furchtbare Schatten senkte sich über alle Seelen und verlieh der alten bekannten Welt einen neuen Schein. Diejenigen, die noch Lust verspürten zu reden, beschrieben ihre Gefühle so: Alle Dinge, die dem Auge sichtbar und der Hand greifbar waren, wurden leer, leicht und durchsichtig – gleich hellen Schatten im Dunkel der Nacht wurden sie;
weil jene große Finsternis, die das Weltall umschlungen hält, weder durch die Sonne, noch durch den Mond, noch durch die Gestirne vertrieben wurde, sondern die Erde mit einem unendlich weiten Mantel umgab, sie wie eine Mutter einhüllte; in alle Körper drang sie ein, in Eisen wie in Stein. Und indem sie ihre Verbindung verloren, wurden die Teile des Körpers einsam. Und in der Teile Tiefen drang sie ein, und einsam wurden da der Teile Teilchen;
weil jene große Leere, die den Weltenbau umgibt, weder mit der Sonne, noch mit dem Mond, noch mit den Sternen, noch sonst mit sichtbaren Dingen zu erfüllen war, denn sie herrschte uferlos, drang überall ein und trennte Körper von Körper und Teil von Teil;

im Leeren breiteten die Bäume ihre Wurzeln aus und waren selbst leer; im Leeren erhoben sich, gespenstische Drohung des Sturzes, die Tempel, Paläste und Häuser und waren selbst leer; im Leeren bewegte sich unruhig der Mensch und war selbst leer und leicht wie ein Schatten;
denn es gab keine Zeit mehr, und der Beginn eines Dings fiel mit seinem Ende zusammen; ein Haus wurde gerade errichtet, die Bauleute klopften noch mit den Hämmern – schon waren seine Trümmer zu sehen und Leere an Stelle der Trümmer. Ein Mensch wurde gerade geboren – schon brannten die Totenkerzen über ihm, schon verloschen sie, und schon war Leere an Stelle des Menschen und der Kerzen; von Leere und Finsternis umschlossen, bebte ohne Hoffnung der Mensch in Angst vor dem Unendlichen.
So sprachen die, die noch Lust zum Sprechen hatten. Viele andere hätten wohl noch mehr berichten können, aber die wollten nicht mehr sprechen und starben schweigend.

4

In jenen Tagen lebte zu Rom ein berühmter Bildhauer. Aus Ton, Marmor und Bronze schuf er Gestalten von außerordentlicher Schönheit, die die Menschen unsterblich nannten. Er selbst blieb aber unbefriedigt und sagte, daß es noch ein anderes, ein wahrhaft Schönes gäbe, das weder in Marmor noch in Bronze zu bannen sei. »Den Mondschein habe ich noch nicht gesammelt«, meinte er, »das Sonnenlicht habe ich noch nicht gefangen, mein Marmor hat keine Seele, und meinen vollendeten Bronzen fehlt das Leben.« Wenn er in mondhellen Nächten versonnen seiner Wege ging und in die tiefschwarzen Schatten der Zypressen untertauchte, wenn sein weißes Gewand im Mondschein schimmerte, dann lachten die Menschen, die er traf, freundlich und sagten: »Du sammelst wohl Mondschein, Aurelius, warum hast du keine Körbe bei dir?« Dann lachte er zurück, wies auf seine Augen und antwortete: »Hier sind ja meine Körbe, in die ich Mondschein und Sonnenlicht sammle.« Und so war es auch; der Mond schien in seinen Augen und die Sonne strahlte in ihnen. Doch es gelang ihm nicht, diesen Glanz in Marmor zu verzaubern, und darin bestand das lichte Leid seines Lebens. Er entstammte einem alten Patriziergeschlecht, hatte eine gute Frau und Kinder und litt keine Not.

Als die Kunde von Lazarus ihn erreichte, beriet er sich mit seiner Frau und seinen Freunden und trat dann die weite Reise nach Judäa an, um den wunderbar Auferstandenen leibhaftig zu sehen. Ihm war es damals langweilig zumute, und er hoffte nun, unterwegs die ermüdete Aufmerksamkeit neu zu schärfen. Die Dinge, die man ihm von dem Auferweckten berichtet hatte, erregten keine Furcht in ihm; er dachte oft über den Tod nach, er liebte ihn nicht, noch weniger liebte er aber jene Menschen, die Tod und Leben miteinander verquickten. Hier – das herrliche Leben, dort – der rätselhafte Tod, so dachte er, und der Mensch hat nichts Besseres zu tun, als zu leben und sich am Leben und an der Schönheit des Lebendigen zu erfreuen. Heimlich trug er sich sogar mit der ehrgeizigen Absicht, Lazarus von der unerschütterlichen Wahrheit seiner Anschauungen zu überzeugen, um seine Seele dem Leben zurückzugeben, so wie sein Leib dem Leben bereits wiedergegeben war. Dies schien ihm eine um so leichtere Aufgabe, als die Gerüchte, die über den Auferstandenen umgingen, scheu und sonderbar klangen, ohne die volle Wahrheit wiederzugeben und nur dunkel vor irgendeinem Grauen warnten.

Lazarus erhob sich gerade von seinem Stein, um der Sonne in die Wüste zu folgen, als ein reicher Römer, den ein bewaffneter Sklave begleitete, auf ihn zukam und klangvoll nach ihm rief: Lazarus! Und da sah Lazarus ein schönes stolzes Gesicht, helle Kleider und kostbare Steine, die im Sonnenlicht funkelten. Das rötliche Sonnenlicht verlieh dem Antlitz einen matten Bronzeschimmer; auch das sah Lazarus. Gehorsam ließ er sich auf seinen Sitz nieder und senkte müde seine Augen.

»Ja, du bist unschön, mein armer Lazarus«, sagte der Römer ruhig und spielte mit seiner goldenen Kette.

»Du bist sogar furchterregend, mein armer Freund; der Tod war an jenem Tage nicht müßig, an dem du unvorsichtig in seine Hände gerietest. Doch du bist dick wie ein Faß, und dicke Leute sind nicht böse, sagt der große Cäsar; ich kann nicht verstehen, warum die Menschen sich vor dir fürchten. Erlaubst du mir, bei dir zu nächtigen? Es ist schon spät, und ich habe kein Obdach.«

Niemals zuvor hatte jemand Lazarus um Obdach gebeten. »Ich habe kein Lager«, sagte er.

»Nun, ich bin ein wenig Soldat und kann auch im Sitzen schlafen«, antwortete der Römer. »Wir zünden ein Feuer an ...«

»Ich habe kein Feuer!«

»Dann plaudern wir im Dunkeln, wie zwei Freunde. Ich denke, du findest etwas Wein.«

»Ich habe keinen Wein!«

Der Römer lachte: »Jetzt begreife ich, warum du so finster bist und keinen Gefallen an deinem zweiten Leben findest! Nun, bleiben wir so: es gibt doch Gespräche, die nicht minder als der Falerner taumelig machen.« Mit einer Handbewegung entließ er seinen Sklaven, und sie blieben allein.

Und wieder begann der Römer zu sprechen, doch war es, als ob mit der sinkenden Sonne das Leben aus seinen Worten schwände; sie wurden auf einmal blaß und leer, sie taumelten auf wankenden Füßen, glitten aus und stürzten nieder, trunken vom Wein der Sehnsucht und der Verzweiflung. Schwarze Abgründe brachen zwischen ihnen auf – Vorboten der großen Leere und Finsternis.

»Ich bin doch jetzt dein Gast«, sagte er, »und du wirst mir doch kein Leid antun, Lazarus! Gastfreundschaft ist eine hohe Pflicht auch für diejenigen, die drei Tage tot waren. Du hast doch, so erzählte man mir, drei Tage im Grabe verbracht. Kalt muß es dort sein! Und aus dem Grab hast du wohl auch die schlechte Gewohnheit mitgebracht, ohne Feuer und ohne Licht auszukommen. Ich liebe das Feuer, hier wird es so schnell dunkel ... Die Linien deiner Brauen und deiner Stirn sind seltsam: sie erinnern an Trümmer irgendwelcher Paläste nach einem Erdbeben, an Trümmer, mit Asche bedeckt. Aber warum eigentlich trägst du diese seltsamen und unschönen Kleider? Ich sah Brautleute in eurem Land, die trugen auch solche Gewänder, solche lächerlichen, solche furchtbaren Kleider ... Bist du denn ein Bräutigam?«

Schon war die Sonne versunken; von Osten flossen schwarze Schatten – riesige nackte Füße schlurften über den Sand, und der Hauch eines jähen Windes strich kühl über den Rücken.

»Im Dunkeln erscheinst du noch größer, Lazarus, als ob du soeben noch dicker geworden wärest; ernährst du dich am Ende gar von der Dunkelheit? Ach, ich wünsche mir jetzt ein Feuer – wenn auch nur ein kleines, ein ganz kleines Feuer. Ich friere ein wenig, ihr habt barbarisch kalte Nächte hier ... Wenn es nicht

so dunkel wäre, würde ich sagen, daß du mich ansiehst, Lazarus. Ja, ich glaube, du siehst mich an, ich fühle es – ja, jetzt, jetzt lächelst du.«
Die Nacht brach herein, und die Luft füllte sich mit schwerem Schwarz.
»Wenn morgen die Sonne wieder aufgeht, wird alles wieder gut sein ... Du weißt doch, ich bin ein großer Bildhauer – so nennen mich meine Freunde. Ich bin schöpferisch, ja, schöpferisch nennt man das ... Doch dafür braucht man den Tag. Dem kalten Marmor verleihe ich Leben ... Im Feuer schmelze ich die tönende Bronze, im heißen, hellen Feuer ... Warum berührst du mich mit der Hand?«
»Komm«, sagte Lazarus, »du bist mein Gast!«
Da gingen sie in das Haus, und die lange Nacht sank auf die Erde.
Vergeblich wartete der Sklave auf seinen Herrn, und als die Sonne schon hoch am Himmel stand, ging er hin, ihn zu holen. Da sah er: sein Herr und Lazarus saßen nebeneinander unter den sengenden Strahlen, starrten hinauf und schwiegen. Der Sklave weinte und rief:
»Herr! Was ist mit dir, Herr?«
Noch am gleichen Tage traten sie den Rückweg nach Rom an. Während der Fahrt schwieg Aurelius, war sehr nachdenklich und beobachtete dabei aufmerksam Menschen, Schiff und Meer, als sei er bemüht, sich etwas für immer einzuprägen. Weit auf dem Meer geriet das Schiff in einen schweren Sturm. Aber Au-

relius wich keinen Augenblick vom Deck und blieb fast gierig in die Betrachtung der sich bäumenden und stürzenden Wogen versunken. Daheim erschrak man über die furchtbare Veränderung seines Wesens, doch der Künstler beruhigte die Hausgenossen, indem er bedeutsam sagte:

»Ich habe gefunden!«

In den gleichen schmutzigen Kleidern, die er während der ganzen Reise getragen, machte er sich sogleich an die Arbeit, und der Stein erklang gehorsam unter den hallenden Schlägen des Hammers. Lange und wie besessen arbeitete er, und niemandem gestattete er den Zutritt. Endlich, an einem Morgen, erklärte er das Werk für vollendet und befahl, seine Freunde zu holen. Und während er auf seine Gäste wartete, zog er die hellen Festgewänder an, die in gelbem Gold und Purpur strahlten.

»Das habe ich geschaffen!« sagte er gedankenvoll zu ihnen. Die Freunde blickten hin, und der Schatten tiefer Trauer senkte sich über ihre Mienen. Es war da ein Ungeheuerliches, das keine dem Auge vertraute Form zeigte, aber die Andeutung irgendeiner neuen, unbekannten Gestalt enthielt. Auf einem dünnen krummen Zweig, vielmehr auf seiner abscheulichen Verzerrung, lag verkrümmt und befremdlich eine blinde, häßlich zerflossene Masse, seltsam nach innen und außen gestülpt, wüste abgerissene Ansätze, kraftlos bemüht, sich selbst zu entfliehen. Zufällig entdeckte man unter einem der wild drohenden

Vorsprünge einen bezaubernden Schmetterling mit durchsichtigen Flügeln, zitternd in ohnmächtiger Sehnsucht nach einem Ausflug.

»Wozu dieser Schmetterling, Aurelius?« fragte einer zögernd.

»Ich weiß es nicht«, gab der Künstler zur Antwort. Aber die Wahrheit mußte gesagt werden, und so wagte es einer der Freunde, der Aurelius am innigsten zugetan war, und sprach: »Das ist häßlich, mein armer Freund! Man muß es vernichten. Gib mir den Hammer her!«

Und mit zwei Hammerschlägen zerstörte er die ungeheure formlose Masse und verschonte nur den lieblichen Schmetterling. Seit jener Zeit schuf Aurelius nichts mehr. Mit tiefster Gleichgültigkeit betrachtete er seine früheren Schöpfungen, über denen ein Hauch der unvergänglichen Schönheit lag. Mit tiefer Gleichgültigkeit blickte er auf Marmor und Bronze. Um seine alte Freude an der Arbeit wieder zu wekken und seine erstorbene Seele neu zu beleben, führte man ihn vor die herrlichen Werke anderer, aber er blieb dort ebenso unbeteiligt, und kein Lächeln taute die festverschlossenen Lippen auf. Und nur wenn man ihm viel und ausführlich von der Schönheit sprach, entgegnete er müde und schlaff: »Es ist doch alles Lüge!«

Am Tage, wenn die Sonne schien, trat er in den reichen, kunstvoll angelegten Garten hinaus und suchte sich dort eine lichtüberflutete Stelle: dort gab er sein unbedecktes Haupt und seine trüben Augen der funkelnden Sonne preis. Rote und weiße Falter umflatterten ihn; Marmorschalen füllten sich mit kristallklarem Wasser, das aus dem geöffneten Mund eines seligtrunkenen Satyrs rann; er aber blieb unbeweglich, ein mattes Spiegelbild des Mannes, der in weiter Ferne, dicht vor den Toren der Steinwüste, ebenso unbeweglich in der sengenden Sonne saß.

5

Und nun erging an Lazarus der Ruf des großen göttlichen Augustus. Und wieder kleidete man ihn prunkvoll in festliche Hochzeitsgewänder, fast als sei ihr Gebrauch schon von der Zeit geheiligt, als sollte Lazarus bis zu seinem Tode Bräutigam einer unbekannten Braut bleiben. Es sah so aus, als hätte man einen alten faulenden und zerfallenden Sarg neu vergoldet und mit frischen lustigen Troddeln behängt. Man gab ihm feierliche Begleitung in grellem Schmuck mit auf den Weg, so daß der Zug in der Tat einem Hochzeitszug glich, und lauter Trompetenruf forderte Platz für die Abgesandten des Imperators. Aber nur durch Einsamkeit führten Lazarus' Wege: die Heimat fluchte dem nun verhaßten Namen des wunderbar Auferstandenen, das Volk floh beim ersten Gerücht von seinem Nahen. Einsam dröhnten

die Trompeten, und nur die Wüste antwortete mit klagendem Widerhall.
Dann brachte man ihn auf ein Schiff, und das war das festlichste und traurigste Schiff, das sich je in den Wassern des Mittelmeeres gespiegelt hatte. Viele Menschen waren an Bord, aber es blieb lautlos still wie ein Grab, und hoffnungslos weinten die Wellen, die sich an dem steilen, herrlich geschwungenen Bug brachen. Dort saß Lazarus, einsam, das bloße Haupt der Sonne zugewandt; er schwieg und lauschte den plätschernden Wellen, und abseits lagen und kauerten kraftlos die Matrosen und Gesandten – eine trübe Schar trauernder Schatten. Hätte damals der Donner gedröhnt und der Sturm an den roten Segeln gerissen – das Schiff wäre verloren gewesen, denn keiner von der Bemannung besaß noch den Mut und die Kraft, um das eigene Leben zu kämpfen. Mit letzter Anstrengung schleppten sich viele an die Reling und schauten gedankenverloren in den durchsichtig blauen Abgrund: schimmerte nicht dort die rosige Schulter einer Najade? Tauchte nicht dort, mit den wirbelnden Hufen Tropfen versprühend, ein taumelig-trunkener Kentaur? Doch einsam war das Meer, und die Tiefe blieb leer und stumm.
Gleichgültig betrat Lazarus die Straßen der Ewigen Stadt. Es war, als ob ihm ihre Schätze – die Erhabenheit ihrer von Giganten errichteten Bauten, all der Glanz, die Schönheit und die Musik des verfeinerten Lebens – nur ein Widerhall des Wüstenwindes, ein

Widerschein des heißen wogenden Wüstensandes seien. Wagen jagten dahin, Scharen starker, schöner, hochmütiger Menschen; Erbauer der Ewigen Stadt und stolze Teilhaber ihres Lebens bewegten sich auf und ab; ein Lied klang auf, Fontänen und Frauen lachten ihr Perlenlachen, Betrunkene philosophierten, lächelnd hörten die Nüchternen ihnen zu und Hufeisen klapperten, klapperten auf den Steinen des Pflasters. Vom frohen Trubel ringsum eingefangen, bewegte sich in seiner Mitte, wie ein erstarrter Keim des Schweigens, ein dicker schwerer Mann und säte auf seinen Wegen Mißmut, Zorn und trübe verzehrende Sehnsucht. Wer wagt es, traurig in Rom zu sein? empörten sich die Bürger und runzelten die Stirn. Aber nach zwei Tagen wußte schon ganz Rom von dem wunderbar Auferstandenen und ging ihm ängstlich aus dem Wege.
Doch gab es auch hier viele mutige Männer, die gern bereit waren, ihre Kräfte zu messen, und auf ihr törichtes Geheiß erschien Lazarus gehorsam vor ihnen. Beschäftigt mit den Geschicken des Imperiums, zögerte Augustus den Empfang hinaus, und ganze sieben Tage ging der wunderbar Erweckte unter den Menschen umher. So kam Lazarus einmal vor einen fröhlichen Zecher, und dieser empfing ihn mit einem seligen Lächeln seiner roten Lippen.
»Trink, Lazarus, trink!« schrie er. »Augustus wird lachen, wenn er dich betrunken sieht!«
Nackte, trunkene Frauen lachten um ihn, und Rosen-

blätter bedeckten seine blauen Hände. Doch da blikkte der Zecher ihm in die Augen, und seine Freude war für immer dahin. Sein Leben lang dauerte der Rausch; wiewohl er nie mehr trank, blieb er dennoch trunken. Aber statt der seligen Träume, die der Wein verschenkt, zogen sich über seinem unseligen Kopf furchtbare Gesichte zusammen. Gräßliche Bilder blieben die einzige Nahrung seines geschlagenen Geistes. Furchtbare Träume zogen ihn bei Tag und Nacht in den Dunst ihrer ungeheuerlichen Erscheinungen, und selbst der Tod konnte nicht furchtbarer sein, als es seine grausamen Vorboten waren.

So trat Lazarus vor einen Jüngling und ein Mädchen, die sich liebten und schön waren in ihrer Liebe. Seine Geliebte stolz und fest im Arm, sagte der Jüngling voll heimlichen Mitleids: »Sieh uns an, Lazarus, und freue dich mit uns! Gibt es denn etwas, was stärker ist als die Liebe?«

Und Lazarus sah sie an. Und sie liebten einander ihr ganzes Leben, aber ihre Liebe war traurig und düster, wie jene Friedhofszypressen, deren Wurzeln sich von verwesenden Gräbern nähren und deren schwarze spitze Kronen vergeblich an stillen Abenden den Himmel suchen. Von der unergründlichen Gewalt des Lebens einander in die Arme getrieben, vermischten sie ihre Küsse mit Tränen, ihre Wonnen mit Schmerzen und fühlten sich zwiefach als Sklaven: hörige Sklaven des fordernden Lebens und ergebene Diener des drohend schweigenden Nichts. Für ewig vereint, für ewig getrennt, loderten sie wie Funken auf und erloschen wie Funken in der grenzenlosen Finsternis.

So trat Lazarus vor einen stolzen Weisen, und dieser sprach zu ihm: »Ich weiß schon alles, was du mir an Furchtbarem sagen kannst, Lazarus! Womit kannst du mich noch erschrecken?«

Doch wenig Zeit verging, und der Weise begriff, daß das Wissen vom Grauen noch nicht das Grauen selbst und daß die Betrachtung des Todes noch nicht der Tod selbst sei. Und er fühlte, daß Torheit und Weisheit eines seien vor des Unendlichen Antlitz, denn das Unendliche kannte beide nicht. Und es schwanden die Schranken zwischen Wissen und Unwissenheit, zwischen Wahrheit und Lüge, zwischen oben und unten – und sein verarmtes Denken schwebte im Leeren. Da faßte er sich an seinen grauen Kopf und schrie voll Verzweiflung:

»Ich kann nicht mehr denken! Ich kann nicht mehr denken!«

So verging unter dem gleichgültigen Blick des wunderbar Auferstandenen all das, was zur Festigung und Sinngebung des Lebens und zu seinen Freuden beigetragen hatte.

Man sagte nun, daß es gefährlich sei, Lazarus zum Imperator vorzulassen, daß es besser wäre, ihn zu töten, heimlich zu verscharren und das Gerücht auszustreuen, er sei irgendwohin verschwunden. Man hielt Schwerter bereit, und Jünglinge, die dem Wohl des Staates blind ergeben waren, erboten sich selbstlos zu der Tat ... Aber da bestimmte Augustus, daß man Lazarus am nächsten Morgen vor ihn brächte, und ließ so die grausamen Pläne scheitern. Nun, da es unmöglich war, Lazarus zu beseitigen, versuchte man wenigstens, den schrecklichen Eindruck seines Gesichtes zu mildern. Mit dieser Aufgabe wurden geschickte Maler, Barbiere und Haarkünstler betraut, und sie mühten sich nun die ganze Nacht hindurch mit Lazarus' Haupt ab. Man schnitt ihm das Barthaar zurück, legte es in Locken und verlieh ihm ein sauberes und gepflegtes Aussehen. Die unheimliche Leichenbläue, an der man sich stieß, beseitigte man durch Schminke: weiß schimmerten nun seine Hände und rot seine Wangen. Auch die widerwärtigen Leidensfalten, die das alte Gesicht durchfurchten, wurden geschminkt, geglättet und übertönt, und auf dem glatten Grund trug man kunstvoll mit dünnem Pinsel die feinen Fältchen des gutherzigen Lachens, der angenehmen, sorglosen Fröhlichkeit auf.

Gleichgültig ließ Lazarus alles mit sich geschehen, und bald sah man ihn in einen ansehnlichen dicken Alten verwandelt, den ruhigen und gutmütigen Großvater ungezählter Enkel. Das Lächeln des Märchenerzählers umspielte noch seine Lippen, und in seinen Augenwinkeln schien sich die stille Güte des Alters zu verbergen. So stand er nun da. Doch wagte niemand, die Hochzeitskleider zu entfernen, und keiner konnte an seinen Augen etwas ändern – an den dunklen furchtbaren Gläsern, durch die das unfaßbare »Drüben« den Menschen anstarrte.

6

Die Pracht der kaiserlichen Gemächer berührte Lazarus nicht. Als bemerke er keinerlei Unterschied zwischen seinem eigenen verfallenen und von der Wüste bedrängten Haus und dem steinernen, festen und herrlichen Palast – so gleichgültig blickte er im Vorübergehen um sich, ohne wirklich etwas zu sehen. Unter seinen Füßen verwandelte sich der harte Marmor in wogenden Wüstensand, und die Menge hochmütiger, üppig gekleideter Menschen wurde leere Luft unter seinen Blicken. Man fürchtete die unheimliche Wirkung seiner Augen und blickte zur Seite, wenn er vorbeischritt. Aber sobald man am schweren Schritt erkannte, daß er an den Wartenden vorübergegangen sei, hob man die Köpfe und betrachtete mit ängstlicher Neugierde den fetten, großen, etwas gebeugten alten Mann, der langsam in das Herz des Palastes eindrang. Wäre der Tod selbst vorübergegangen – die Menschen hätten nicht mehr vor ihm erschrecken können; denn bis zur Stunde war es doch so gewesen, daß nur der Tote um den Tod wußte und der Lebendige allein das Leben kannte – eine Brücke aber zwischen beiden hatte es nicht gegeben, doch dieser, eine Ausnahme, kannte den Tod, und ebenso rätselvoll wie furchtbar war sein verfluchtes Wissen. Er wird unseren großen, göttlichen Augustus töten, dachten die Menschen voller Angst und sandten ohnmächtige Flüche hinter Lazarus her. Aber der ging langsam und gleichgültig weiter und weiter, immer tiefer und tiefer in den Palast.

Auch Cäsar wußte, wer Lazarus war, und er rüstete sich für diese Begegnung. Er war ein mutiger Mann und fühlte gewaltige, unbesiegbare Kräfte in seiner Seele. Daher verschmähte er es, in diesem schicksalhaften Kampf schwache menschliche Hilfe in Anspruch zu nehmen. Unter vier Augen, von Angesicht zu Angesicht, trat er Lazarus gegenüber.

»Sieh mich nicht an, Lazarus«, befahl er dem Eintretenden, »vernahm ich doch, daß dein Kopf dem Medusenhaupt gleiche und daß jeder, den du anblickst, in Stein verwandelt werde. Ich aber will dich betrachten und mit dir reden, bevor ich Stein werde«, fügte er hinzu. Er näherte sich Lazarus und betrachtete aufmerksam sein Gesicht und seine festlich seltsamen Gewänder. Und obwohl sein Blick scharf und durchdringend war, so trog ihn doch die kunstvolle Maske.

»Nun, dein Anblick weckt keine Furcht, guter Alter. Doch um so gefährlicher für die Menschen, wenn das Grauen solch ein ehrwürdiges und angenehmes Aussehen annimmt. Laß uns nun miteinander reden!«

Augustus ließ sich nieder und, mit dem Blick nicht

weniger als mit den Worten forschend, begann er das Gespräch:
»Warum hast du mich nicht gegrüßt, als du hier eintratest?«
»Ich wußte nicht, daß das so sein muß!« erwiderte Lazarus gleichgültig.
»Bist du ein Christ?«
»Nein!«
Augustus senkte befriedigt sein Haupt. »Das ist gut. Ich liebe die Christen nicht. Sie schütteln am Baum des Lebens, bevor die Früchte reif sind, und zerstreuen die duftenden Blüten im Wind. Doch sag, wer bist du?«
Mit einer merklichen Anstrengung antwortete Lazarus: »Ich war tot.«
»Davon habe ich gehört, doch wer bist du jetzt?«
Lazarus zögerte mit seiner Antwort und wiederholte endlich gleichgültig und träge: »Ich war tot.«
»Höre, du Unbekannter«, sagte der Imperator und sprach streng und deutlich aus, was er sich bereits zuvor überlegt hatte: »Mein Reich ist das Reich der Lebenden, mein Volk ist das Volk der Lebenden und nicht der Toten. Und du bist hier fremd. Ich weiß nicht, wer du bist, ich weiß nicht, was du dort gesehen hast, und wenn du lügst, so hasse ich deine Lüge, und wenn du die Wahrheit sprichst, so hasse ich deine Wahrheit. In meiner Brust fühle ich das Pochen des Lebens. In meinen Armen fühle ich Kraft, und meine Gedanken fliegen wie kräftige Adler durch

das unermeßliche All. Und dort, hinter mir, unter dem Schutze meiner Macht und unter dem Schutze der von mir geschaffenen Gesetze leben, arbeiten und lachen die Menschen. Hörst du die wunderbare Harmonie des Lebens? Hörst du den Kampfruf, den die Menschen der Zukunft entgegenschleudern, um sie zum Wettstreit aufzufordern?«

Augustus reckte seine Arme beschwörend empor, und feierlich rief er aus: »Sei gesegnet, du großes, göttliches Leben!«

Aber Lazarus schwieg, und der Imperator fuhr mit wachsender Strenge fort: »Du bist hier fremd, du kümmerlicher Rest, den der Tod übriggelassen. Du weckst Sehnsucht in den Herzen und Ekel am Leben. Wie eine Raupe im Getreide nagst du an den üppigen Ähren der Freude und scheidest den Schleim der Verzweiflung und der Trauer aus. Deine Wahrheit ist ein rostiges Schwert in den Händen des Mörders – und wie ein Mörder sollst du zum Tode verurteilt werden. Aber ich will dir zuvor in die Augen sehen. Vielleicht zittert nur der Feigling vor deinem Blick und vielleicht erweckt er im Mutigen die Lust nach Kampf und Sieg. Dann soll dir nicht der Tod durch den Schergen, dann soll dir reicher Lohn zuteil werden … Und nun sieh mich an, Lazarus!«

Und im ersten Augenblick meinte Augustus, ein Freund sehe ihn an – so weich, so anziehend, so bestrickend war Lazarus' Blick. Nicht Grauen, sondern Ruhe und Frieden versprach er; als zärtliche Geliebte, als mitleidsvolle Schwester, als Mutter zeigte sich das Unendliche. Aber immer stärker wurde seine zärtliche Umarmung, und der nach Küssen dürstende Mund raubte allen Atem; durch den weichen warmen Leib trat die Härte der Knochen, die sich zu einem eisernen Ring zusammenschlossen, durch – und dann berührten stumpfe kalte Krallen das Herz und sanken schlaff hinein.

»Es schmerzt ...!« sagte der göttliche Augustus erbleichend. »Aber sieh mich weiter an, Lazarus, sieh mich an!«

Irgendwelche gewaltigen Tore, die von Urbeginn an verschlossen waren, taten sich langsam auf, und durch den wachsenden Spalt drang kalt und ruhig das drohende Grauen des Unendlichen herein. Wie zwei Schatten nahten die unermeßliche Leere und die unermeßliche Finsternis und löschten die Sonne aus, nahmen den Füßen die Erde und raubten das Dach über dem Kopf. Und der Schmerz verstummte im erstarrenden Herzen.

»Sieh mich an, Lazarus, sieh mich an!« befahl Augustus wankend. Die Zeit blieb stehen, und bedrohlich rückte das Ende jeglichen Dings mit seinem Anfang zusammen. Eben erst errichtet, verfiel schon der Thron des Imperators, und Leere gähnte an seiner Stelle. Lautlos verging Rom, eine neue Stadt erstand an seinem Ort und wurde wieder von der Leere verschlungen. Städte, Reiche, Länder fielen und schwanden im Nichts; gleichgültig verschlang sie der schwarze Schlund des Unendlichen, den nichts zu sättigen vermochte...

»Halt ein!« befahl der Imperator. Schon klang seine Stimme gleichgültig, kraftlos sanken die Arme nieder, und im vergeblichen Kampf mit der heraufziehenden Finsternis entbrannten und verloschen seine Adleraugen.

»Du hast mich getötet, Lazarus«, sagte er müde und erschöpft. Und diese Worte der Hoffnungslosigkeit retteten ihn. Plötzlich erinnerte er sich der Menschen, deren Schild er war, und ein ätzender, erlösender Schmerz durchdrang sein ersterbendes Herz. »Dem Untergang geweiht...«, dachte er voller Gram. »Helle Schatten im Dunkel der Unendlichkeit...«, dachte er voller Furcht. »Zerbrechliche Gefäße voll lebendigen, immer regen Blutes, Herzen voll Schwermut und jauchzender Freude«, dachte er voller Zärtlichkeit.

So denkend und empfindend, zwischen Tod und Leben wägend, kehrte er langsam zum Leben zurück, um in seinen Freuden und Schmerzen Schutz gegen die Finsternis der Leere und das Grauen des Unendlichen zu finden.

»Nein, du hast mich nicht getötet, Lazarus«, sagte er fest. »Aber ich – ich werde dich töten! Geh jetzt!« An jenem Abend genoß Augustus mit besonderer, gesteigerter Freude die Speisen und Getränke. Doch hin und wieder erstarrte die erhobene Hand in der Luft und trübe Schleier verschatteten das Feuer seiner

Augen ... Das war die eisige Welle der Angst, die seine Füße umspülte.

Besiegt zwar, allein nicht vernichtet, kalt auf ihre Zeit bedacht, blieb sie das ganze Leben an seiner Seite und beherrschte seine Nächte, während sie die hellen Tage gefügig den Freuden und Leiden des Lebens überließ.

Am kommenden Tag wurden auf Befehl des Kaisers die Augen des Lazarus mit einem glühenden Eisen ausgebrannt; dann schickte man ihn wieder in seine Heimat zurück. Ihm das Leben zu nehmen, konnte Augustus, der Göttliche, sich nicht entschließen.

So kehrte Lazarus in die Wüste zurück, und die Wüste empfing ihn mit dem pfeifenden Atem des Windes und mit der sengenden Glut der Sonne. Und wieder saß er auf seinem Stein, das Haupt mit dem wilden zottigen Bart emporgereckt, und schwarze Löcher starrten stumpf und schrecklich zur Sonne hinauf. Fern toste und brodelte das Leben in der Heiligen Stadt, doch in seiner Nähe war es immer menschenleer und stumm. Niemand wagte sich an den Ort, an dem der wunderbar Auferweckte seine Tage beschloß; längst hatten die Nachbarn ihre Häuser verlassen. Von glühendem Eisen in die Tiefen seines Schädels verjagt, lauerte dort sein verfluchtes Wissen im Hinterhalt. Wie aus dem Hinterhalt brechend, griff es mit tausend Augen nach den Menschen, und keiner wagte mehr, Lazarus anzusehen.

Abends, wenn die Sonne in roter Glut schwellend

zum Horizont sank, folgte ihr der blinde Lazarus langsam. Er stolperte über Geröll, stürzte, geschwächt wie er war, in seiner Fülle zur Erde, erhob sich mühsam wieder und tastete schwankend weiter. Vor dem glühenden Schleier der Abendröte erschien sein dunkler Körper mit den weit ausgestreckten Armen wie ein schauerliches Ebenbild des Kreuzes.

Es begab sich aber, daß er einst aufbrach und nicht mehr wiederkehrte. So endete, wahrscheinlich, das zweite Leben des Lazarus, der sich drei Tage lang unter der rätselhaften Macht des Todes befand und wunderbar auferweckt ward.

DER TOD DES IWAN ILJITSCH

LEO N. TOLSTOI

1

In dem großen Gerichtsgebäude hatten sich während einer Verhandlungspause im Prozeß der Melwinskijs die Mitglieder des Gerichtshofes und der Staatsanwalt im Arbeitszimmer Iwan Jegorowitsch Schebeks zusammengefunden, und ihre Unterhaltung drehte sich um den berühmten Krasowskijprozeß. Fjodor Wasiljewitsch ereiferte sich, indem er die Nichtzuständigkeit des Gerichts bewies, Iwan Jegorowitsch bestand auf seiner Meinung, Pjotr Iwanowitsch jedoch, der sich von Anfang an nicht in den Streit eingelassen hatte, beteiligte sich auch jetzt nicht daran und blätterte in der ihm soeben überbrachten Zeitung.
»Meine Herren«, sagte er, »unser Iwan Iljitsch ist gestorben.«
»Ist's möglich?«
»Hier, lesen Sie«, wandte er sich an Fjodor Wasiljewitsch und reichte ihm die neue, noch nach Druckerschwärze riechende Zeitung.
Von einem Trauerrand umgeben, stand da gedruckt: »Praskowja Fjodorowna Golowina teilt allen Verwandten und Bekannten in tiefster Trauer mit, daß ihr geliebter Gatte, Iwan Iljitsch Golowin, Mitglied

des Gerichtshofs, am 4. Februar 1882 verschieden ist. Die Beerdigung findet Freitag um 1 Uhr mittags statt.«

Iwan Iljitsch war ein Kollege der hier versammelten Herren, und alle liebten ihn. Er war schon mehrere Wochen krank gewesen, und es hatte geheißen, daß seine Krankheit unheilbar sei. Sein Amt war ihm verblieben, aber man hatte bereits erwogen, daß im Falle seines Todes Alexejew auf seinen Posten berufen werden könnte, auf Alexejews Posten jedoch entweder Winnikow oder Stabel. Daher war bei der Nachricht von Iljitschs Tod der erste Gedanke aller dieser Herren, die sich im Arbeitszimmer versammelt hatten, der, welche Bedeutung dieser Tod für die Versetzung oder Beförderung der Mitglieder selbst oder ihrer Bekannten haben könnte. Jetzt werde ich wahrscheinlich den Posten Stabels oder Winnikows erhalten, dachte Fjodor Wasiljewitsch. Das ist mir schon lange versprochen worden, und diese Beförderung bedeutet für mich eine Gehaltserhöhung von achthundert Rubel und eine Kanzlei.

Ich muß jetzt um die Versetzung meines Schwagers aus Kaluga bitten, dachte Pjotr Iwanowitsch. Meine Frau wird sich sehr freuen. Dann wird sie nicht mehr sagen können, daß ich nie etwas für ihre Angehörigen tue.

»Ich habe es mir gedacht, daß er nicht mehr aufstehen wird«, sagte Pjotr Iwanowitsch laut. »Schade um ihn!«

»Was hat ihm denn eigentlich gefehlt?«

»Die Ärzte konnten es nicht feststellen. Das heißt, es stellte jeder etwas anderes fest. Als ich ihn zum letzten Mal sah, schien es mir, als ob er sich erholen würde.«

»Ich war seit den Feiertagen nicht mehr bei ihm. Ich habe es mir immer vorgenommen ...«

»Hat er Vermögen gehabt?«

»Ich glaube, seine Frau hatte etwas, aber sehr wenig, kaum der Rede wert.«

»Ja, man wird hinfahren müssen. Sie haben so furchtbar weit gewohnt.«

»Das heißt, weit von Ihnen. Von Ihnen ist alles weit.«

»Er kann es mir nicht verzeihen, daß ich jenseits des Flusses wohne«, sagte Pjotr Iwanowitsch mit einem Lächeln zu Schebek. Und man begann über die großen Entfernungen in der Stadt zu sprechen und ging wieder zur Sitzung.

Außer den durch Iljitschs Tod hervorgerufenen Erwägungen seiner Kollegen über die Versetzungen und möglichen Veränderungen im Dienst löste die Tatsache des Todes eines sehr nahen Bekannten in allen, die davon hörten, wie immer ein Gefühl der Freude darüber aus, daß *er* gestorben war und nicht *ich*.

Nun, er ist gestorben, ich aber nicht, dachte oder fühlte jeder. Die guten Bekannten dagegen, die sogenannten Freunde Iwan Iljitschs, dachten dabei unwillkürlich auch noch daran, daß sie jetzt sehr langweilige Anstandspflichten erfüllen und zur Seelenmesse und zur Witwe fahren müßten, um ihr einen Beileidsbesuch abzustatten.

Fjodor Wasiljewitsch und Pjotr Iwanowitsch hatten dem Verstorbenen am nächsten gestanden.

Pjotr Iwanowitsch war sein Kamerad in der Rechtsschule gewesen und fühlte sich ihm verpflichtet.

Er teilte seiner Frau beim Mittagessen die Nachricht von Iwan Iljitschs Tod mit, sprach mit ihr über die Möglichkeit einer Versetzung des Schwagers in seinen Bezirk, zog dann, ohne sich zur Mittagsruhe hinzulegen, seinen Frack an und fuhr zu Iwan Iljitsch.

Vor der Auffahrt zu Iwan Iljitschs Wohnung hielten eine Kutsche und zwei Droschken; unten im Vorzimmer war der mit Silberstoff überzogene Sargdeckel neben dem Kleiderständer an die Wand gelehnt; er war mit kleinen Quasten und blankgeputzten Posamenten verziert. Zwei schwarzgekleidete Damen legten ihre Pelze ab. Die eine Dame, Iwan Iljitschs Schwester, war Pjotr Iwanowitsch bekannt, die andere nicht. Pjotr Iwanowitschs Kollege Schwarz kam eben die Treppe herunter; als er den Eintretenden erblickte, blieb er auf der obersten Stufe stehen und zwinkerte ihm zu, als wollte er sagen: Iwan Iljitsch hat es dumm gemacht; ja, Sie und ich, das ist etwas anderes.

Schwarzens Gesicht mit dem englischen Backenbart und seine ganze magere Gestalt im Frack zeigten wie immer eine vornehme Feierlichkeit, und diese Feierlichkeit, die immer im Gegensatz zu Schwarzens lebhaftem Charakter stand, hatte hier eine besondere Würze. So dachte Pjotr Iwanowitsch.

Pjotr Iwanowitsch ließ den Damen den Vortritt und ging langsam hinter ihnen die Treppe hinauf. Schwarz kam nicht herunter, sondern blieb oben stehen. Pjotr Iwanowitsch begriff, warum: er wollte offenbar mit ihm besprechen, wo sie sich heute zu einer Partie Whist treffen könnten. Die Damen gingen zur Witwe, und Schwarz deutete mit ernst gefalteten, harten Lippen und lebhaftem Blick und mit einer Bewegung der Augenbrauen nach rechts, auf das Zimmer des Verstorbenen.

Pjotr Iwanowitsch trat, wie das in solchen Fällen immer zu sein pflegt, mit einem gewissen Zweifel, was er dort werde tun müssen, ein. Er wußte nur das eine, daß es bei solchen Gelegenheiten niemals schaden konnte, sich zu bekreuzigen. Aber er war nicht ganz sicher, ob er sich dabei auch verneigen müsse, und er wählte daher einen Mittelweg: als er in das Zimmer eintrat, machte er das Kreuzzeichen und verneigte sich zugleich ein wenig. Er sah sich auch gleichzeitig im Zimmer um, soweit ihm das die Bewegungen seiner Hände und des Kopfes erlaubten. Zwei junge Leute, einer von ihnen ein Gymnasiast, anscheinend Neffen des Verstorbenen, verließen sich bekreuzigend das Zimmer. Eine alte Frau stand regungslos da. Und eine Dame mit merkwürdig hochgezogenen Augenbrauen flüsterte ihr etwas zu. Der rüstige, energische Vorsänger im Gehrock las etwas mit lauter Stimme und einem Ausdruck, der jede Widerrede ausschloß; der Diener Gerasim ging mit leichten Schritten an Pjotr Iwanowitsch vorbei und streute etwas auf den Fußboden. Als Pjotr Iwanowitsch das sah, nahm er sofort einen schwachen Leichengeruch wahr. Bei seinem letzten Besuch bei Iwan Iljitsch hatte Pjotr Iwanowitsch diesen Diener im Herrenzimmer gesehen; er erfüllte die Pflichten einer Krankenpflegerin, und Iwan Iljitsch liebte ihn ganz besonders. Pjotr Iwanowitsch bekreuzigte sich immerwährend und verneigte sich leicht in mittlerer Richtung zwischen dem Sarg, dem Vorsänger und den Heiligenbildern, die auf einem Tisch in der Ecke standen. Dann aber, als ihm die Bewegung der Hand beim Bekreuzigen von zu langer Dauer erschien, stellte er sie ein und betrachtete den Toten.

Der Tote lag da, wie die Toten immer daliegen, mit den erstarrten Gliedern besonders schwer in die Unterlage des Sarges versunken, das für immer geneigte Haupt auf dem Kissen; und wie bei allen Toten trat auch bei ihm die gelbe wächserne Stirn mit den kahlen Stellen über den eingesunkenen Schläfen stark hervor, ebenso wie die ragende Nase, die auf die Oberlippe zu drücken schien. Er hatte sich sehr verändert, war seit der Zeit, da Pjotr Iwanowitsch ihn nicht mehr gesehen hatte, noch magerer geworden, aber sein Gesicht war, wie bei allen Toten, schöner und wesentlich bedeutender, als es bei dem Lebenden gewesen war. Der Ausdruck des Gesichts bekundete, daß das, was vollbracht werden mußte, vollbracht war und regelrecht vollbracht war. Außerdem lag in diesem Ausdruck noch ein Vorwurf oder eine Mahnung an die Lebenden. Diese Mahnung schien Pjotr Iwanowitsch nicht am Platz zu sein oder – wenigstens ihn – nichts anzugehen. Ein unangenehmes Gefühl beschlich Pjotr Iwanowitsch, deshalb bekreuzigte er sich noch einmal und wandte sich hastig – wie es ihm schien, allzu hastig, nicht dem Anstand gemäß – um und ging zur Tür.

Schwarz erwartete ihn im Durchgangszimmer; er hatte die Beine weit gespreizt und spielte, beide Hände auf dem Rücken, mit seinem Zylinder. Ein einziger Blick auf Schwarzens lebhafte, gepflegte und elegante Gestalt erfrischte Pjotr Iwanowitsch. Er begriff, daß Schwarz über alldem stand und keinen peinlichen Eindrücken zugänglich war. Schon sein Äußeres besagte: der Zwischenfall einer Seelenmesse für Iwan Iljitsch kann durchaus nicht als hinreichender Vorwand dienen, die Ordnung der Sitzung als unterbrochen zu betrachten, das heißt, daß nichts die Freunde heute abend daran hindern konnte, schnalzend ein Spiel Karten aufzubrechen, während der Lakai vier unangebrannte Kerzen auf den Tisch stellte; es besteht überhaupt kein Grund zu der Voraussetzung, daß dieser Zwischenfall uns daran hindern könnte, den heutigen Abend angenehm zu verbringen. Er flüsterte das auch dem vorübergehenden Pjotr Iwanowitsch zu und schlug ihm vor, sich zu einer Partie bei Fjodor Wasiljewitsch zu treffen. Aber anscheinend hatte es das Schicksal Pjotr Iwanowitsch nicht bestimmt, heute abend Whist zu spielen. Praskowja Fjodorowna, eine mittelgroße, dicke Frau, die ungeachtet aller Bemühungen, das Gegenteil zu erreichen, sich dennoch von den Schultern an nach unten zu verbreiterte, kam ganz schwarz gekleidet, mit Trauerkrepp auf dem Kopf und mit ebenso merkwürdig hochgezogenen Augenbrauen wie die Dame, die am Sarg gestanden hatte, mit zwei anderen Damen aus ihren Gemächern und sagte, indem sie diese bis an die Tür des Totenzimmers geleitete: »Gleich wird eine Seelenmesse stattfinden; treten Sie ein.«

Schwarz verbeugte sich unbestimmt und blieb stehen, ohne die Aufforderung anzunehmen oder abzulehnen. Praskowja Fjodorowna erkannte Pjotr Iwanowitsch, seufzte, trat ganz dicht an ihn heran, ergriff seine Hand und sagte: »Ich weiß, daß Sie ein wahrer Freund Iwan Iljitschs waren –« und sah ihn an, als erwarte sie eine diesen Worten entsprechende Handlung. Pjotr Iwanowitsch wußte, daß er, ebenso wie er sich dort hatte bekreuzigen müssen, hier der Witwe die Hand drükken, seufzen und sagen mußte: »Seien Sie überzeugt davon!« Und er machte es auch so. Und nachdem er es getan hatte, fühlte er, daß das gewünschte Ergebnis erzielt war: daß er gerührt war und sie auch.

»Kommen Sie, solange es dort noch nicht begonnen hat; ich muß mit Ihnen sprechen«, sagte die Witwe. »Geben Sie mir Ihren Arm.«

Pjotr Iwanowitsch reichte ihr den Arm, und sie begaben sich in die inneren Gemächer, wobei sie an Schwarz vorüberschritten, der Pjotr Iwanowitsch traurig zuzwinkerte.
»Da haben wir unseren Whist! Nehmen Sie es nicht übel, wenn wir einen anderen Partner suchen. Am Ende geht's auch zu fünft, wenn Sie sich hier schließlich losgemacht haben«, sagte sein lebhafter Blick.
Pjotr Iwanowitsch seufzte noch tiefer und trauriger, und Praskowja Fjodorowna drückte ihm dankbar die Hand. Sie gingen in ihren mit rosa Kretonne ausgeschlagenen Salon mit der düster brennenden Lampe und setzten sich an den Tisch: sie auf das Sofa und Pjotr Iwanowitsch auf einen niedrigen Puff, dessen Sprungfedern nicht in Ordnung waren und beim Sitzen ungleichmäßig nachgaben. Praskowja Fjodorowna wollte ihn darauf aufmerksam machen, sich auf einen anderen Stuhl zu setzen, fand aber diese Warnung ihrer Lage nicht angemessen und überlegte es sich anders. Als Pjotr Iwanowitsch sich auf den Puff niederließ, erinnerte er sich daran, wie Iwan Iljitsch diesen Salon eingerichtet und sich mit ihm gerade über diesen roten Kretonne mit den grünen Blättern beraten hatte. Als die Witwe am Tisch vorbeiging, um sich auf das Sofa zu setzen (der ganze Salon war mit allen möglichen Nippes und Möbeln überfüllt), blieb der schwarze Krepp ihres schwarzen Umhanges an den Schnitzereien des Tisches hängen. Pjotr Iwanowitsch erhob sich, um zu helfen, und der von

ihm befreite Puff begann zu wogen und ihn zu stoßen. Die Witwe machte sich daran, ihren Krepp selber loszulösen, und Pjotr Iwanowitsch setzte sich, wobei er den rebellierenden Puff niederdrückte. Aber die Witwe konnte mit dem Krepp nicht so schnell fertig werden, und Pjotr Iwanowitsch erhob sich wiederum, und wieder fing der Puff an zu rebellieren und knackte sogar. Als das alles vorüber war, zog die Witwe ein reines Batisttüchlein heraus und begann zu weinen. Pjotr Iwanowitsch war durch den Vorfall mit dem Krepp und den Kampf mit dem Puff ernüchtert und saß mit finsterem Gesicht da. Diese peinliche Lage wurde durch Sokolow, Iwan Iljitschs Diener, unterbrochen, der meldete, daß der Platz auf dem Friedhof, den Praskowja Fjodorowna bestimmt hatte, zweihundert Rubel kosten werde. Sie hörte auf zu weinen, sah Pjotr Iwanowitsch mit der Miene eines Opfers an und sagte auf französisch, daß ihr sehr schwer ums Herz sei. Pjotr Iwanowitsch machte ein stummes Zeichen, das seine unbezweifelbare Überzeugung ausdrückte, daß es nicht anders sein könne. »Bitte, rauchen Sie«, sagte sie mit großmütiger und zugleich niedergeschlagener Stimme und sprach mit Sokolow über den Preis des Platzes.

Pjotr Iwanowitsch hörte, während er sich eine Zigarette anzündete, wie sie sehr umständlich nach den verschiedenen Preisen des Bodens fragte und den Platz bestimmte, den man nehmen sollte. Nachdem sie das Gespräch über den Platz beendet hatte, traf sie außerdem noch Anordnungen bezüglich der Kirchensänger. Sokolow ging fort.

»Ich mache alles selber«, sagte sie zu Pjotr Iwanowitsch und schob die Alben, die auf dem Tisch lagen, zur Seite; als sie bemerkte, daß die Asche den Tisch bedrohte, schob sie Pjotr Iwanowitsch unverzüglich einen Aschenbecher hin und sagte: »Ich betrachte es als Heuchelei zu behaupten, daß ich mich in meinem Kummer nicht mit praktischen Dingen beschäftigen könne. Im Gegenteil, wenn etwas mich nicht trösten… aber ablenken kann, so sind es die Sorgen um ihn« – sie griff wieder nach dem Taschentuch, als wollte sie zu weinen anfangen, raffte sich aber plötzlich gleichsam mit Überwindung auf und begann ruhig zu sprechen.

»Ich habe übrigens ein Anliegen an Sie.«

Pjotr Iwanowitsch verneigte sich, ohne den Sprungfedern des Puffs, die sich sofort unter ihm zu regen begannen, zu gestatten, auseinanderzuschnellen.

»Er hat in den letzten Tagen furchtbar gelitten.«

»Sehr gelitten?« fragte Pjotr Iwanowitsch.

»Ach, entsetzlich! Er hat nicht nur in den letzten Minuten, sondern stundenlang geschrien, ohne aufzuhören. Drei Tage hat er unausgesetzt geschrien. Das war unerträglich. Ich begreife gar nicht, wie ich das aushalten konnte; durch drei Türen war es zu hören. Ach, was ich durchgemacht habe!«

»Und war er denn wirklich bei Besinnung?« fragte Pjotr Iwanowitsch.

»Ja«, flüsterte sie, »bis zum letzten Augenblick. Eine Viertelstunde vor seinem Tode hat er sich von uns verabschiedet und noch gebeten, daß man Wolodja hinausführe.«

Der Gedanke an die Leiden eines Menschen, den er so nahe gekannt hatte, erst als fröhlichen Knaben, als Schüler, dann als erwachsenen Kollegen, entsetzte Pjotr Iwanowitsch plötzlich, trotz des unangenehmen Bewußtseins seiner eigenen Heuchelei und der Heuchelei dieser Frau. Er sah wiederum diese Stirn vor sich, diese Nase, die auf die Lippe drückte, und ihm wurde angst und bange um sich selber.

Drei Tage furchtbarer Leiden und dann der Tod. Das kann ja gleich, jeden Augenblick, auch bei mir eintreten, dachte er und empfand einen Augenblick lang Furcht. Aber sofort, er wußte selbst nicht, wie, kam ihm der gewohnte Gedanke zu Hilfe, daß ja dies alles Iwan Iljitsch und nicht ihm widerfahren sei, mit ihm aber nicht geschehen durfte und nicht geschehen konnte; daß er sich durch solche Gedanken einer düsteren Stimmung unterwerfe, was man nicht tun dürfe, wie Schwarzens Miene zu entnehmen war. Und nach dieser Betrachtung beruhigte sich Pjotr Iwanowitsch und fragte voller Interesse nach allen Einzelheiten über Iwan Iljitschs Tod, als sei der Tod ein Ereignis, das nur Iwan Iljitsch eigentümlich war, ihm, Pjotr Iwanowitsch, dagegen in keiner Weise.

Nach verschiedenen Gesprächen über die wirklich entsetzlichen körperlichen Leiden, die Iwan Iljitsch ertragen hatte (diese Einzelheiten erfuhr Pjotr Iwanowitsch nur, insoweit wie diese Leiden auf Praskowja Fjodorownas Nerven gewirkt hatten), hielt es die Witwe offenbar für angebracht, zur Sache zu kommen.

»Ach, Pjotr Iwanowitsch, wie schwer, wie furchtbar schwer, wie furchtbar schwer das ist!« Und sie fing wieder an zu weinen.

Pjotr Iwanowitsch seufzte und wartete, bis sie sich schneuzen würde. Nachdem das geschehen war, sagte er: »Glauben Sie mir …«, aber sie begann wieder zu reden und sprach das aus, was augenscheinlich ihr hauptsächliches Anliegen an ihn war; es bestand in der Frage, auf welche Weise sie, anläßlich des Todes ihres Mannes, Geld vom Staat erhalten könnte. Sie gab sich den Anschein, als frage sie Pjotr Iwanowitsch um Rat wegen einer Pension; aber er sah, daß sie auch das, was ihm selber nicht bekannt war, schon bis in alle Einzelheiten wußte: alles das, was man bei diesem Todesfall dem Fiskus abzwacken konnte; daß sie aber erfahren wollte, ob man nicht auf irgendeine Weise noch mehr Geld erhalten könnte. Pjotr Iwanowitsch bemühte sich, ein solches Mittel zu finden, dachte ein Weilchen nach, schimpfte aus Anstand über den schmutzigen Geist unserer Regierung, sagte dann aber, daß man, wie ihm scheine, doch nicht mehr bekommen könnte. Da seufzte sie auf und dachte offenbar über ein Mittel nach, ihren Besucher loszuwerden. Er begriff das, löschte seine

Zigarette aus, erhob sich, drückte ihr die Hand und ging ins Vorzimmer.

Im Eßzimmer, wo die Uhr stand, die Iwan Iljitsch zu seiner großen Freude gelegentlich bei einem Trödler erstanden hatte, begegnete Pjotr Iwanowitsch dem Geistlichen und einigen Bekannten, die zur Seelenmesse gekommen waren, und erblickte eine ihm bekannte schöne junge Dame, Iwan Iljitschs Tochter. Sie war ganz schwarz gekleidet. Ihre sehr dünne Taille erschien noch dünner. Sie zeigte eine düstere, entschlossene, beinahe zornige Miene. Sie grüßte Pjotr Iwanowitsch, als ob er an irgend etwas schuld wäre. Hinter der Tochter stand mit einem ebenso beleidigten Gesicht ein Pjotr Iwanowitsch bekannter reicher junger Mann, der Untersuchungsrichter und, wie er gehört hatte, ihr Bräutigam war. Pjotr Iwanowitsch verbeugte sich traurig vor ihnen und wollte in das Totenzimmer gehen, als die Gestalt des Sohnes, eines Gymnasiasten, der Iwan Iljitsch sehr ähnlich war, unten an der Treppe erschien. Das war der kleine Iwan Iljitsch, wie Pjotr Iwanowitsch ihn von der Rechtsschule her kannte. Seine Augen waren verweint und sahen so aus, wie sie oft bei nicht mehr unschuldigen Knaben im Alter von dreizehn, vierzehn Jahren aussehen. Als der Knabe Pjotr Iwanowitsch erblickte, runzelte er streng und schamhaft die Stirn. Pjotr Iwanowitsch nickte ihm zu und begab sich dann in das Totenzimmer. Die Seelenmesse begann – Kerzen, Stöhnen, Weihrauch, Tränen, Schluchzen. Pjotr Iwanowitsch stand mit finsterem Gesicht dabei und schaute vor sich hin. Er sah den Toten nicht ein einziges Mal an, gab sich bis zum Schluß nicht den Einflüssen der Rührung hin und verließ als einer der ersten das Zimmer. Im Vorzimmer war kein Mensch. Der Diener Gerasim kam aus dem Totenzimmer gestürzt, warf mit seinen kraftvollen Händen alle Pelze durcheinander, um Pjotr Iwanowitschs Pelz zu finden, und half ihm.

»Nun, Gerasim?« sagte Pjotr Iwanowitsch, um irgend etwas zu sagen. »Tut es dir leid?«

»Es ist Gottes Wille. Wir kommen alle einmal dorthin«, sagte Gerasim, seine weißen, festen Bauernzähne zeigend, riß, wie ein Mensch, der sich im Eifer einer vordringlichen Arbeit befindet, schnell die Tür auf, rief den Kutscher herbei, setzte Pjotr Iwanowitsch in die Kutsche und sprang zurück in den Flur, als überlegte er, was er noch machen könnte.

Pjotr Iwanowitsch empfand es als besonders angenehm, nach dem Weihrauch, dem Leichengeruch und der Karbolsäure die frische Luft einzuatmen.

»Wohin befehlen Sie?« fragte der Kutscher.

»Es ist noch nicht spät. Ich werde noch zu Fjodor Wasiljewitsch fahren.«

Und Pjotr Iwanowitsch fuhr hin. Und er kam wirklich zum Schluß des ersten *Robbers* zurecht, so daß er sich bequem als Fünfter den Spielern beigesellen konnte.

2

Iwan Iljitschs Lebenslauf war der allereinfachste, allergewöhnlichste und allerfurchtbarste.

Iwan Iljitsch starb mit fünfundvierzig Jahren als Mitglied des Gerichtshofes. Er war der Sohn eines Beamten, der in Petersburg in verschiedenen Ministerien und Departements jene Laufbahn durchgemacht hatte, welche die Menschen bis zu einer Stellung bringt, wo es sich zwar erweist, daß sie gar nicht tauglich sind, irgendein wirkliches Amt auszuüben, aber trotzdem wegen ihrer langjährigen Dienstzeit und ihres Ranges nicht entlassen werden können und daher erdachte fiktive Stellungen und nicht fiktive Tausende – von sechs bis zehn – erhalten, mit denen sie bis ins hohe Alter leben.

Ein solcher Beamter war der Geheimrat Ilja Jefimitsch Golowin, ein unnötiges Mitglied verschiedener unnötiger Behörden.

Er hatte drei Söhne. Iwan Iljitsch war der zweite Sohn. Der Älteste schlug dieselbe Laufbahn wie der Vater ein, nur in einem anderen Ministerium, und näherte sich bereits jener dienstlichen Altersstufe, in der das Gesetz der Trägheit bezüglich des Gehalts in Erscheinung tritt. Der dritte Sohn war ein Pechvogel. Er hatte es sich in verschiedenen Stellungen verdorben und diente jetzt bei der Eisenbahn; sowohl sein Vater als auch die beiden Brüder und besonders deren Frauen liebten es nicht, ihm zu begegnen, und erinnerten sich ohne die äußerste Notwendigkeit nicht einmal seiner Existenz. Die Schwester war an einen Baron Gräf verheiratet, der genauso ein Petersburger Beamter war wie sein Schwiegervater. Iwan Iljitsch war *le phénix de la famille*, wie man zu sagen pflegt. Er war weder so kalt und so genau wie der ältere Bruder, noch so verwegen wie der jüngere. Er hielt die Mitte zwischen ihnen – er war ein kluger, lebhafter, angenehmer und anständiger Mensch. Er wurde zusammen mit dem jüngeren Bruder in der Rechtsschule erzogen. Der jüngere beendete die Schule nicht und wurde aus der fünften Klasse entlassen, Iwan Iljitsch aber beendete den Lehrgang sehr gut. Er war in der Schule bereits das, was er in der Folge sein Leben lang gewesen: ein fähiger, heiter-gutmütiger und leutseliger Mensch, der aber das, was er für seine Pflicht hielt, streng erfüllte: als Pflicht betrachtete er alles, was von hochgestellten Persönlichkeiten als solche hingestellt wurde. Er buhlte weder als Knabe noch später als erwachsener Mann um die Gunst anderer, aber er hatte seit seinen frühesten Jahren die Eigenschaft an sich, daß es ihn wie die Fliege zum Licht zu den in der Gesellschaft höchstgestellten Persönlichkeiten hinzog, daß er sich ihre Umgangsformen, ihre Ansichten über das Leben aneignete und in freundschaftliche Beziehungen zu ihnen trat. Alle Neigungen der Kindheit und der Jugend gingen an ihm vorüber, ohne große Spuren zu hinterlassen; er gab sich sowohl der Sinnlichkeit als auch dem Ehrgeiz hin und schließlich in den höheren Klassen – der Freidenkerei, aber alles in gewissen Grenzen, die sein Gefühl ihn richtig erkennen ließ.

In der Rechtsschule beging er einige Taten, die ihm früher sehr garstig erschienen waren und ihm im Augenblick, da er sie beging, Abscheu vor sich selber einflößten; als er in der Folge aber sah, daß hochstehende Leute dasselbe taten und es keineswegs für schlecht hielten, fing er zwar nicht an, es für gut zu halten, vergaß aber diese Dinge völlig, und die Erinnerung daran bereitete ihm nicht den geringsten Kummer.

Nachdem Iwan Iljitsch die zehn Klassen der Rechtsschule durchgemacht und vom Vater Geld für seine Ausstattung erhalten hatte, bestellte er sich seine Kleider bei Scharmer, hängte ein Medaillon mit der Aufschrift *respice finem* zu den übrigen Berlocken, verabschiedete sich von dem Fürsten und dem Erzieher, speiste mit den Kameraden bei Donon und reiste mit neuen, modernen Koffern, Wäsche, Kleidern, Toilettengegenständen, Rasierzeug und Plaids, alles in den besten Geschäften bestellt und gekauft, in die Provinz, wo der Vater ihm den Posten eines Beamten für besondere Aufträge beim Gouverneur verschafft hatte.

In der Provinz schuf sich Iwan Iljitsch sofort eine ebenso leichte und angenehme Stellung, wie er sie in der Rechtsschule gehabt hatte. Er diente, machte Karriere und vergnügte sich nebenbei auf angenehme und anständige Weise; hin und wieder unternahm er im Auftrag der Obrigkeit Reisen in die Landkreise, benahm sich würdevoll gegen die Höheren und Niedrigeren und führte die ihm anvertrauten Aufträge, vorzüglich in Sachen der *Raskolniki*, mit einer Genauigkeit und unbestechlichen Ehrlichkeit aus, auf die er nicht anders als stolz sein konnte. In Dienstangelegenheiten war er trotz seiner Jugend und Neigung zu leichten Vergnügungen außerordentlich zurückhaltend, amtlich sogar streng; im gesellschaftlichen Umgang dagegen war er oft lustig und geistreich und immer gutmütig, anständig und ein *bon enfant*, wie sich sein Vorgesetzter und dessen Frau, bei denen er zur Familie gerechnet wurde, über ihn äußerten.

In der Provinz gab es auch ein Verhältnis mit einer Dame, die sich dem eleganten Juristen aufgedrängt hatte; da war auch eine Modistin; es gab Trinkgelage mit zugereisten Flügeladjutanten und nach dem Abendessen Fahrten in eine entfernte Straße; man buhlte um die Gunst des Vorgesetzten und sogar um die seiner Gattin; aber das alles trug den Stempel einer so erhabenen Anständigkeit, daß man es nicht mit bösen Worten benennen konnte: das alles paßte nur in die Rubrik des französischen Spruchs: *Il faut que la jeunesse se passe*. Alles ging mit reinen Händen, mit französischen Worten vor sich und in der Hauptsache – in der allerhöchsten Gesellschaft und infolgedessen mit Billigung hochstehender Personen.

So diente Iwan Iljitsch fünf Jahre, als eine Verän-

derung im Dienst eintrat. Neue Gerichtsbehörden entstanden; neue Menschen wurden gebraucht.
Und Iwan Iljitsch wurde solch ein neuer Mensch.
Iwan Iljitsch wurde die Stellung eines Untersuchungsrichters angeboten, und er nahm sie an, obgleich diese Stellung in einem anderen Gouvernement war und er die feststehenden Beziehungen abbrechen und neue anknüpfen mußte. Iwan Iljitsch wurde von seinen Freunden beim Abschied gefeiert, ein Gruppenbild wurde aufgenommen, man überreichte ihm ein silbernes Zigarettenetui, und er reiste an seinen neuen Bestimmungsort.
Iwan Iljitsch war als Untersuchungsrichter genauso *comme il faut* und anständig wie als Beamter für besondere Aufträge; er verstand auch hier seine dienstlichen Pflichten von seinem Privatleben zu trennen und allgemeine Achtung einzuflößen. Das Amt eines Untersuchungsrichters hatte für Iwan Iljitsch an sich schon viel mehr Fesselndes und Anziehendes als der frühere Dienst. Im früheren Dienst hatte es zu den Annehmlichkeiten gehört, leichten Ganges in der Scharmerschen Vizeuniform an den zitternden und des Empfangs harrenden Bittstellern und neidischen Amtspersonen vorbei geradewegs in das Amtszimmer des Vorgesetzten zu gehen und sich zigarettenrauchend mit ihm zu einem Glas Tee zu setzen; aber es gab wenig Menschen, die unmittelbar von seiner Willkür abhingen. Solche fand er nur unter den Kreisrichtern und den Sektierern, wenn man ihn mit

Aufträgen entsandte: und er liebte es, höflich, beinahe kameradschaftlich mit diesen von ihm abhängigen Leuten zu verkehren, liebte es, sie fühlen zu lassen, daß er, der die Macht hatte, sie zu zermalmen, sie freundschaftlich und schlicht behandelte. Damals gab es nur wenige solche Menschen. Jetzt aber, als Untersuchungsrichter, fühlte Iwan Iljitsch, daß alle, alle ohne Ausnahme – selbst die allergewichtigsten und selbstzufriedensten Leute –, kurz, alle in seiner Hand waren, und daß er nur die bekannten Worte auf das Papier mit dem amtlichen Kopf zu schreiben brauchte, und dieser hochgestellte, selbstzufriedene Mensch würde ihm als Angeklagter oder als Zeuge vorgeführt werden und – falls es Iwan Iljitsch nicht beliebte, ihn zum Niedersetzen aufzufordern – vor ihm stehen und auf seine Fragen antworten. Iwan Iljitsch mißbrauchte diese Macht niemals, sondern bemühte sich im Gegenteil, ihren Ausdruck zu mildern; aber das Bewußtsein dieser Macht und die Möglichkeit, sie zu mildern, waren das hauptsächliche Interesse und die Anziehungskraft seines neuen Amtes. Im Dienst selbst, namentlich in den gerichtlichen Untersuchungen, eignete sich Iwan Iljitsch sehr rasch das Verfahren an, alle Umstände, die den Dienst nichts angingen, von sich fernzuhalten und jede, auch die verwickeltste Sache, in eine Form zu kleiden, welche die Angelegenheit nur in ihrer äußeren Gestalt auf dem Papier wiedergab, bei der seine persönliche Anschauung völlig ausgeschaltet war, in der Hauptsache aber die ganze geforderte Formalität gewahrt wurde. Das war eine neue Sache. Und er war einer der ersten, der die Anwendung der Gesetze vom Jahre 1864 in der Praxis ausarbeitete.

Nachdem Iwan Iljitsch in der neuen Stadt das Amt eines Untersuchungsrichters angetreten hatte, knüpfte er neue Bekanntschaften und Verbindungen an, stellte sich selber auf einen anderen Fuß und wählte einen etwas anderen Ton. Er hielt sich in einer gewissen würdevollen Entfernung von den Machthabern des Gouvernements, schuf sich hingegen einen erlesenen Verkehr in Richterkreisen und mit reichen Edelleuten, die in der Stadt wohnten, und machte sich den Ton einer leichten Unzufriedenheit mit der Regierung, eines gemäßigten Liberalismus und eines zivilisierten Bürgersinns zu eigen. Zudem unterließ es Iwan Iljitsch in der neuen Stellung, sein Kinn auszurasieren, und ließ seinen Bart wachsen, wie er wollte, ohne aber an der gewohnten Eleganz seiner Kleidung das geringste zu ändern.

Das Leben Iwan Iljitschs in der neuen Stadt gestaltete sich sehr angenehm: die dem Gouverneur entgegenarbeitende Gesellschaft war gut und einig; Iwan Iljitsch bezog ein größeres Gehalt, und das Whistspiel, das er nun zu spielen begann, fügte seinem Leben keine geringe Annehmlichkeit hinzu; Iwan Iljitsch besaß die Eigenschaft, fröhlich Karten zu spielen, rasch und gewandt zu überlegen, so daß er meist im Gewinnen war.

Nachdem Iwan Iljitsch seinen Dienst zwei Jahre in der neuen Stadt versehen hatte, lernte er seine zukünftige Frau kennen. Praskowja Fjodorowna Michel war das anziehendste, klügste und glänzendste junge Mädchen jenes Kreises, in dem Iwan Iljitsch sich bewegte. Zu der Zahl der anderen Vergnügungen und Erholungen von den Mühen eines Untersuchungsrichters gesellten sich die spielerischen und leichten Beziehungen zu Praskowja Fjodorowna.

Als Iwan Iljitsch noch Beamter für besondere Aufträge war, pflegte er zu tanzen; als Untersuchungsrichter tanzte er nur noch in Ausnahmefällen. Er tanzte jetzt schon in dem Sinne, daß er zwar Beamter der neuen Behörden und in der fünften Rangklasse war, aber dennoch, wenn es ums Tanzen ging, beweisen konnte, daß er diese Sache besser verstand als die anderen. So tanzte er denn zuweilen zum Schluß einer Gesellschaft mit Praskowja Fjodorowna und eroberte sie hauptsächlich während dieser Tänze. Praskowja Fjodorowna verliebte sich in ihn. Iwan Iljitsch hatte durchaus nicht die klare, bestimmte Absicht, zu heiraten, aber er stellte sich diese Frage, als das Mädchen sich in ihn verliebte. »In der Tat, warum sollte ich nicht heiraten«, sagte er sich.

Das Fräulein stammte aus einer guten Adelsfamilie und war recht hübsch; ein kleines Vermögen war auch vorhanden. Iwan Iljitsch hätte auf eine viel glänzendere Heirat rechnen können, aber diese Heirat war auch gut. Iwan Iljitsch hatte sein Gehalt und hoffte, sie würde ebensoviel haben. Die Verwandtschaft war gut; sie war ein liebes, hübsches und völlig einwandfreies Mädchen. Es wäre ebenso ungerecht, zu behaupten, Iwan Iljitsch habe deshalb geheiratet, weil er seine Braut liebgewonnen und bei ihr Verständnis für seine Lebensanschauungen gefunden hatte, wie auch zu sagen, er habe geheiratet, weil die Leute seines Kreises diese Heirat billigten. Iwan Iljitsch heiratete diesen beiden Erwägungen zufolge: er bereitete sich eine Annehmlichkeit, indem er eine solche Frau gewann, und tat zugleich das, was die höchstgestellten Persönlichkeiten für richtig hielten.

Und Iwan Iljitsch heiratete.

Der eigentliche Vorgang der Heirat und die erste Zeit des ehelichen Lebens mit den ehelichen Zärtlichkeiten, den neuen Möbeln, dem neuen Geschirr, der neuen Wäsche verging bis zur Schwangerschaft seiner Frau sehr gut, so daß Iwan Iljitsch zu glauben begann, daß die Heirat jenen Charakter eines leichten, angenehmen, heiteren, immer anständigen und von der Gesellschaft gebilligten Lebens nicht stören, sondern eher noch verstärken werde. Doch von den ersten Monaten der Schwangerschaft seiner Frau an erschien etwas Neues, Unerwartetes, Unangenehmes, Schweres und Unziemliches, das man nicht erwartet hatte und das man nicht abzuschütteln vermochte.

Seine Frau begann, wie es Iwan Iljitsch schien, ohne jeden Grund und, wie er sich sagte, aus *gaieté de cœur*, die Annehmlichkeit und den Anstand des Lebens zu stören: sie war ohne jeden Grund eifersüchtig auf ihn, verlangte, daß er ihr den Hof machte, suchte Händel und machte ihm unangenehme und rohe Szenen.

Anfangs hoffte Iwan Iljitsch, sich durch jene leichten und anständigen Beziehungen zum Leben, die ihm früher immer geholfen hatten, aus dieser unangenehmen Lage zu befreien; er versuchte, die Launen seiner Frau zu übersehen und sein Leben in der früheren leichten und angenehmen Weise weiterzuführen: er lud seine Freunde zu einer Kartenpartie ein, versuchte selber in den Klub oder zu Bekannten zu fahren. Aber einmal begann seine Frau mit solcher Energie und in so groben Ausdrücken mit ihm zu schimpfen und fuhr so hartnäckig fort, jedesmal zu zanken, wenn er ihre Forderungen nicht erfüllte – wobei sie offenbar fest entschlossen war, nicht eher aufzuhören, als bis er sich unterwarf, das heißt zu Hause sitzenblieb und sich ebenso wie sie langweilen mußte –, daß Iwan Iljitsch sich entsetzte. Er begriff, daß das Eheleben, wenigstens mit seiner Frau, die Annehmlichkeiten und den Anstand des Lebens nicht immer förderte, sondern sie im Gegenteil oft störte, und daß es daher unumgänglich nötig war, sich von diesen Störungen zu schützen. Und Iwan Iljitsch begann Mittel hierfür zu suchen. Der Dienst war das einzige, was Praskowja Fjodorowna imponierte, und Iwan Iljitsch begann den Dienst und die daraus entspringenden Pflichten als Kampfmittel gegen seine Frau anzuwenden, um sich seine unabhängige Welt zu sichern.

Mit der Geburt des Kindes, den Versuchen und verschiedentlichen Fehlschlägen in der Ernährung, den wirklichen und eingebildeten Krankheiten des Kindes und der Mutter, bei denen Iwan Iljitschs Teilnahme gefordert wurde, von denen er aber gar nichts verstehen konnte, wurde für Iwan Iljitsch das Bedürfnis, sich eine Welt außerhalb der Familie zu schaffen, noch dringender.

In dem Maße, wie die Frau gereizter und anspruchsvoller wurde, übertrug Iwan Iljitsch den Schwerpunkt seines Lebens mehr und mehr auf den Dienst. Er begann seine Arbeit lieber zu gewinnen und wurde ehrgeiziger, als er früher gewesen war.

Sehr bald, nicht später als ein Jahr nach der Heirat, begriff Iwan Iljitsch, daß das Eheleben zwar einige Bequemlichkeiten im Leben bot, im wesentlichen aber eine sehr verwickelte und schwierige Sache war. Man mußte, um seine Pflicht zu erfüllen, das heißt ein anständiges, von der Gesellschaft gebilligtes Leben zu führen, bestimmte Beziehungen zum Eheleben herstellen, ebenso wie im Dienst.

Und Iwan Iljitsch schuf sich ein solches Verhältnis zum ehelichen Leben. Er verlangte vom Familienleben nur jene Annehmlichkeiten des ehelichen Verkehrs, der häuslichen Mahlzeiten, der Anwesenheit einer Hausfrau, die es ihm bieten konnte, und hauptsächlich jenen Anstand der äußeren Formen, die von der öffentlichen Meinung bestimmt wurden. Im übrigen aber suchte er Heiterkeit und Frohsinn und war sehr dankbar, wenn er sie fand; stieß er aber auf Widerstand und mürrisches Wesen, zog er sich sofort in seine eigene, von ihm selber abgegrenzte Welt des Dienstes zurück und fand dort sein Genügen.

Iwan Iljitsch wurde als guter Beamter geschätzt und nach drei Jahren zum Gehilfen des Staatsanwalts ernannt. Die neuen Pflichten, ihre Wichtigkeit, die Möglichkeit, jedermann vor Gericht zu stellen und ins Gefängnis zu bringen, die Öffentlichkeit der Reden, der Erfolg, den Iwan Iljitsch in dieser Sache hatte – alles dies gestaltete ihm den Dienst noch angenehmer.

Dann kamen eins nach dem anderen die Kinder. Die Frau wurde immer mürrischer und zänkischer, aber die von Iwan Iljitsch ermittelten Beziehungen zum häuslichen Leben machten ihn beinahe unempfindlich für ihr mürrisches Wesen.

Nach sieben Dienstjahren in der einen Stadt wurde Iwan Iljitsch als Staatsanwalt in ein anderes Gouvernement versetzt. Sie siedelten dorthin über, das Geld war knapp, und der Frau mißfiel der Ort, in den sie übergesiedelt waren. Das Gehalt war zwar größer als früher, aber das Leben kostspieliger; außerdem starben zwei Kinder, und aus diesem Grund wurde das Familienleben für Iwan Iljitsch noch unangenehmer.

Praskowja Fjodorowna machte ihrem Mann wegen jedes Ungemachs an diesem neuen Wohnort Vorwürfe. Die meisten Gesprächsthemen zwischen Mann und Frau, besonders die Erziehung der Kinder, führten zu Fragen, bei denen Erinnerungen an Streitigkeiten auftauchten, und Streitigkeiten lagen ständig in der Luft. Es blieben nur jene seltenen Perioden der Verliebtheit, welche die Ehegatten überkamen, aber nicht lange dauerten. Das waren Inselchen, auf denen sie für eine Zeitlang landeten, aber dann trieben sie wieder in das Meer der versteckten Feindschaft hinaus, die ihren Ausdruck in gegenseitiger Entfremdung fand. Diese Entfremdung hätte Iwan Iljitsch betrüben können, wäre er der Meinung gewesen, daß es nicht so sein dürfe; aber er erkannte diesen Zustand jetzt nicht nur als normal an, sondern betrachtete ihn sogar als das Ziel seiner Tätigkeit in der Familie. Dieses bestand darin, sich immer mehr und mehr von diesen Unannehmlichkeiten zu befreien und ihnen den Charakter der Harmlosigkeit und des Anstands zu verleihen; und er erreichte dies, indem er die Zeit, die er in der Familie verbrachte, immer mehr und mehr abkürzte. War er aber genötigt, in der Familie zu weilen, so bemühte er sich, den Frieden durch die Anwesenheit dritter Personen zu sichern. Die Hauptsache aber war, daß er sein Amt hatte; sein ganzes Lebensinteresse war in seiner Amtswelt verankert. Und dieses Interesse nahm ihn ganz in Anspruch. Das Bewußtsein seiner Macht, die

Möglichkeit, jeden Menschen zu vernichten, den er vernichten wollte, selbst die äußerliche Wichtigkeit, die er beim Betreten des Gerichtssaales und bei Begegnungen mit Untergebenen an den Tag legen konnte, sein Erfolg bei Vorgesetzten und Untergebenen und hauptsächlich seine Meisterschaft in der Prozeßführung, die er voll empfand – alles das freute ihn und füllte zusammen mit den Unterhaltungen mit seinen Kollegen, den Mittagstafeln und dem Whistspiel sein Leben aus, so daß Iwan Iljitschs Dasein im großen und ganzen so dahinfloß, wie es seiner Ansicht nach dahinfließen mußte: angenehm und anständig.

So verlebte er weitere sieben Jahre. Die älteste Tochter war schon sechzehn Jahre alt, und weil der Tod in diesem Zeitraum noch ein Kind hinwegraffte, blieb außer der Tochter nur noch ein Knabe, der Gymnasiast, übrig, der beständige Zankapfel der Eltern. Iwan Iljitsch wollte ihn in der Rechtsschule erziehen lassen, aber Praskowja Fjodorowna gab ihn, dem Mann zum Tort, ins Gymnasium. Die Tochter lernte zu Hause und gedieh vortrefflich, auch der Knabe lernte nicht schlecht.

3

So ging Iwan Iljitschs Leben im Laufe von siebzehn Jahren, seit dem Tage seiner Verheiratung, dahin. Er war schon ein alter Staatsanwalt, der verschiedene

Versetzungen ausgeschlagen hatte, weil er auf eine erwünschtere Stellung hoffte, als ganz unerwartet ein unangenehmes Ereignis eintrat, das die Ruhe seines Lebens völlig zu zerstören drohte. Iwan Iljitsch hoffte, die Stellung eines Gerichtspräsidenten in einer Universitätsstadt zu erhalten, aber sein Kollege Hoppe kam ihm auf irgendeine Weise zuvor und erhielt diesen Posten. Das ärgerte Iwan Iljitsch, er machte Hoppe Vorwürfe und überwarf sich sowohl mit ihm als auch mit seinen nächsten Vorgesetzten; man wurde kühl gegen ihn, und er wurde bei der nächsten Beförderung wieder übergangen.

Das geschah im Jahre 1880. Dies war das schwerste Jahr in Iwan Iljitschs Leben. In diesem Jahr erwies es sich erstens, daß sein Gehalt zum Lebensunterhalt nicht ausreichte; zweitens, daß ihn alle vergessen hatten und die ihm zuteil gewordene Behandlung, die er für die größte und grausamste Ungerechtigkeit hielt, den anderen als die allergewöhnlichste Sache erschien. Sogar sein Vater hielt es nicht für seine Pflicht, ihm zu helfen. Er fühlte, daß keiner ihm zu Hilfe kam, weil alle seine Stellung mit dreieinhalbtausend Rubel Gehalt als eine ganz normale und sogar glückliche ansahen. Er allein wußte, daß seine Lage durch das Bewußtsein der Ungerechtigkeit, die man ihm angetan hatte, dank den ewigen Nörgeleien seiner Frau und infolge der Schulden, die er zu machen begann, da er über seine Verhältnisse lebte, bei weitem keine normale war.

Um seine Ausgaben einzuschränken, nahm er im Sommer dieses Jahres Urlaub und reiste mit seiner Frau auf ein Gut ihres Bruders, um den Sommer dort zu verleben.

Iwan Iljitsch empfand auf dem Lande, ohne seinen Dienst, zum ersten Mal nicht nur Langeweile, sondern eine unerträgliche Beklemmung und kam zu dem Schluß, daß es unmöglich sei, so zu leben, und daß es unvermeidlich sei, irgendwelche entscheidenden Maßnahmen zu ergreifen.

Iwan Iljitsch verbrachte, unablässig auf der Terrasse auf und ab gehend, eine schlaflose Nacht und beschloß, nach Petersburg zu reisen, dort die nötigen Schritte zu unternehmen, um in ein anderes Ministerium versetzt zu werden und dadurch *sie* zu bestrafen, die es nicht verstanden hatten, ihn zu schätzen.

Am nächsten Tag reiste er, ungeachtet aller Gegenvorstellungen seiner Frau und seines Schwagers, nach Petersburg.

Er verfolgte nur ein Ziel: eine Stellung mit einem Gehalt von fünftausend Rubel zu erbitten. Er hielt sich an kein Ministerium, an keine Richtung, an keine bestimmte Tätigkeit mehr. Er brauchte nur einen Posten mit fünftausend Rubel Gehalt, sei es in einer Administration, in einer Bank, in der Eisenbahnverwaltung, in den Stiftungen der Kaiserin Maria oder selbst im Zollwesen; aber es mußte damit unbedingt ein Gehalt von fünftausend Rubel und die Versetzung aus dem Ministerium, wo man es nicht verstanden hatte, ihn zu würdigen, verbunden sein.

Und siehe, diese Reise Iwan Iljitschs wurde von einem erstaunlichen, unerwarteten Erfolg gekrönt. In Kursk stieg ein Bekannter, F. S. Iljin, zu ihm in die erste Klasse und teilte ihm den Inhalt des neuesten, vom Kursker Gouverneur erhaltenen Telegramms mit, demzufolge dieser Tage im Ministerium eine Umgruppierung stattfinden sollte: Iwan Semjonitsch wurde auf den Posten Pjotr Iwanowitschs berufen.

Die geplante Umgruppierung brachte, außer ihrer Bedeutung für Rußland, eine besondere Bedeutung für Iwan Iljitsch mit sich, weil dadurch eine neue Persönlichkeit, Pjotr Petrowitsch, vorgeschoben wurde, und offenbar auch sein Freund Sachar Iwanowitsch, und das war für Iwan Iljitsch im höchsten Grade günstig. Sachar Iwanowitsch war ein Kollege und Freund Iwan Iljitschs.

In Moskau wurde diese Nachricht bestätigt. Und als Iwan Iljitsch in Petersburg ankam, suchte er Sachar Iwanowitsch auf und erhielt das bestimmte Versprechen, für einen Posten in seinem früheren, dem Justizministerium vorgeschlagen zu werden.

Eine Woche später telegraphierte er seiner Frau: »Sachar auf Müllers Posten, erhalte beim ersten Vortrag Ernennung.«

Dank dieser Personalveränderung erhielt Iwan Iljitsch in seinem früheren Ministerium eine Stellung, die ihn zwei Rangstufen höher rückte als seine Kollegen: Er bekam fünftausend Rubel Gehalt und dreieinhalbtausend Rubel Umzugsgelder. Sein Ärger über die früheren Feinde und das gesamte Ministerium war vergessen, und Iwan Iljitsch war restlos glücklich.

Er kehrte heiter und zufrieden, wie er es schon lange nicht mehr gewesen, auf das Gut zurück. Praskowja Fjodorowna wurde auch fröhlicher, und die Gatten schlossen einen Waffenstillstand. Iwan Iljitsch erzählte, wie ihn alle in Petersburg geehrt hätten, wie alle, die seine Feinde gewesen, beschämt waren und jetzt vor ihm krochen, wie man ihn um seine Stellung beneidete, und besonders, wie sehr beliebt er bei allen in Petersburg sei.

Praskowja Fjodorowna hörte ihm zu und gab sich den Anschein, als glaube sie alles, widersprach ihm nicht, sondern schmiedete nur Pläne für den Aufbau ihres neuen Lebens in jener Stadt, in die sie überzusiedeln gedachten. Und Iwan Iljitsch sah voller Freude, daß die Pläne auch die seinen waren, daß sie sich verstanden und daß sein ins Stocken geratenes Leben den echten, ihm eigenen Charakter heiterer Annehmlichkeit und des Anstands zurückgewann.

Iwan Iljitsch war nur für kurze Zeit aufs Land zurückgekehrt. Am zehnten September mußte er sein neues Amt übernehmen, außerdem brauchte er Zeit, um sich im neuen Ort einzurichten, alle Sachen aus der Provinz kommen zu lassen, neue dazuzukaufen und zu bestellen; mit einem Wort, sich so einzurichten, wie er es im Geiste beschlossen hatte, und beinahe genauso, wie es sich Praskowja Fjodorowna im Innern wünschte.

Und jetzt, da sich alles so glücklich gestaltet hatte, da er und die Frau in ihren Zielen übereinstimmten und sie außerdem wenig zusammen waren, lebten sie in solcher Eintracht, wie es selbst in den ersten Jahren ihres ehelichen Lebens nicht der Fall gewesen war. Iwan Iljitsch hatte die Absicht, seine Familie gleich mitzunehmen, aber die beharrlichen Bitten der Schwester und des Schwagers, die plötzlich besonders liebenswürdig und verwandtschaftlich gegen Iwan Iljitsch und seine Familie geworden waren, brachten es dahin, daß er allein abreiste.

Iwan Iljitsch fuhr ab, und seine fröhliche Gemütsstimmung, die durch den Erfolg und das gute Einvernehmen mit seiner Frau hervorgerufen war, wobei das eine durch das andere verstärkt wurde, verließ ihn die ganze Zeit über nicht. Er fand eine herrliche Wohnung, ganz so, wie die Gatten sie sich erträumt hatten. Geräumige, hohe Empfangsräume im alten Stil, ein bequemes, großartiges Herrenzimmer, die nötigen Räume für Frau und Tochter und ein Klassenzimmer für den Sohn – alles, wie eigens für sie erdacht. Iwan Iljitsch nahm die Einrichtung selber in die Hand, wählte die Tapeten, kaufte Möbel, besonders antike Stücke, die er für besonders *comme il faut* hielt, Überzüge – und alles wuchs und wuchs und näherte sich dem Ideal, das er sich gebildet hatte. Als die Einrichtung bis zur Hälfte gediehen war, übertraf sie alle seinc Erwartungen. Er sah jenen vornehmen, nicht abgeschmackten Charakter im Geist voraus, jenen Stempel des *comme il faut*, den alles nach seiner Fertigstellung annehmen mußte. Im Einschlafen stellte er sich den Saal vor, wie er nach der Vollendung aussehen würde. Wenn er den Salon betrachtete, der noch nicht fertig war, sah er bereits den Kamin, den Ofenschirm, die *Etagere* und die zwanglos verteilten Stühlchen, die Teller an den Wänden und die Bronzefiguren, alles an dem dazu bestimmten Platz. Der Gedanke, wie er Pascha und Lisanka, die auch Geschmack besaßen, überraschen würde, freute ihn ungemein. Eine solche Pracht erwarteten sie keinesfalls. Er hatte besonderes Glück gehabt, altertümliche Sachen, die allem ein besonders vornehmes Gepräge verliehen, zu finden und billig zu kaufen. In seinen Briefen stellte er absichtlich alles viel einfacher dar, als es in Wirklichkeit war, um sie zu verblüffen. Dies alles beschäftigte ihn so stark, daß der neue Dienst ihn, der die Arbeit doch so liebte, weniger fesselte, als er erwartet hatte. In den Sitzungen stellten sich Augenblicke von Zerstreutheit ein: Er versank in Gedanken darüber, wie er die Vorhänge anbringen lassen sollte, glatt oder gerafft. Er beschäftigte sich so eingehend mit allem, daß er sich oft selber damit abgab, die Möbel umzustellen und die Vorhänge umzuhängen. Einmal stieg er auf eine Leiter, um dem Tapezierer, der ihn nicht verstand, zu zeigen, wie er es haben wollte; dabei trat er fehl und stürzte; da er aber ein starker und gewandter Mensch war, gelang es ihm, sich festzuhalten, und er stieß nur mit der Seite gegen den Griff des Fensterrahmens. Die getroffene Stelle tat eine Zeitlang weh, aber der Schmerz verging bald. Iwan Iljitsch fühlte sich in dieser Zeit besonders fröhlich und gesund. Er schrieb: »Ich fühle, daß ich um fünfzehn Jahre jünger geworden bin.« Er glaubte Ende September mit allem fertig zu werden, aber es zog sich bis Mitte Oktober hin. Dafür aber war alles wunderschön. Das sagte nicht nur er, sondern jeder, der es sah.

Im Grunde genommen war es genauso, wie es bei allen nicht ganz reichen Leuten zu sein pflegt, die es den Reichen aber gleichtun wollen und daher einer dem anderen so ähnlich werden: Stoffe, Ebenholz, Blumen, Teppiche, Bronzen, Dunkles und Glänzendes, alles war so, wie es Menschen gewisser Kreise anschaffen, um allen Menschen gewisser anderer Kreise ähnlich zu sein. Und auch bei Iwan Iljitsch war alles dem Allgemeinüblichen so ähnlich, daß man nicht einmal die Aufmerksamkeit darauf lenken durfte; ihm aber erschien es als etwas Besonderes.

Als er die Seinen am Bahnhof abholte, sie in seine erleuchtete neue Wohnung brachte, als der Lakai in weißer Halsbinde die Tür zu dem mit Blumen geschmückten Vorzimmer öffnete, als Frau und Kinder dann in den Salon, in das Herrenzimmer gingen und Freudenrufe ausstießen, war er sehr glücklich, führte sie überall umher, labte sich an ihren Lobeserhebungen und strahlte vor Vergnügen. An demselben Abend fragte ihn Praskowja Fjodorowna beim Tee unter anderem über seinen Sturz; er lachte auf und zeigte, wie er von der Leiter geflogen war und den Tapezierer erschreckt hatte. »Ich bin nicht umsonst Turner. Ein anderer hätte sich das Genick gebrochen, ich aber habe mich nur hier ein wenig gestoßen; wenn man die Stelle berührt, tut es weh, aber es ist schon im Verheilen begriffen; einfach – ein blauer Fleck.« Und sie begannen ihr Leben in der neuen Wohnung, in der – wie immer, wenn man sich erst richtig umgesehen hat – nur ein Zimmer zu wenig war, und mit den neuen Geldmitteln, an denen – wie immer – nur eine Kleinigkeit fehlte – so an die fünfhundert Rubel. Und es war alles sehr schön. Besonders schön war die erste Zeit, als noch nicht alles ganz fertig war und manches noch eingerichtet werden mußte: da mußte etwas gekauft, da bestellt, da umgestellt oder in Ordnung gebracht werden. Es ging zwar nicht ohne einige Meinungsverschiedenheiten zwischen Mann und Frau ab, aber beide waren so zufrieden, und es gab so viel zu tun, daß alles ohne große Streitigkeiten geregelt wurde. Nachdem alles fertig war, verspürten sie Langeweile, und es fehlte ihnen etwas, aber da stellten sich bereits neue Bekanntschaften und Gewohnheiten ein, und das Leben war ausgefüllt.

Iwan Iljitsch verbrachte den Vormittag auf dem Gericht, kam zum Mittagessen nach Hause, und in der ersten Zeit war seine Stimmung sehr gut, obwohl sie gerade durch die neue Wohnung ein wenig litt. Jeder Fleck auf dem Tischtuch, auf einem Stoff, jede abgerissene Schnur am Vorhang erregte ihn: er hatte so viel Mühe an die Einrichtung gewandt, daß ihm jede Zerstörung weh tat. Aber im großen und ganzen floß Iwan Iljitschs Leben so dahin, wie es, seiner Meinung nach, dahinfließen mußte: leicht, angenehm und anständig. Er stand um neun Uhr auf, trank seinen Kaffee, las die Zeitung, dann zog er seine Vizeuniform an und fuhr aufs Gericht. Dort war das tägliche Joch, in dem er arbeitete, bereits so geformt, daß er mit einem Mal hineinschlüpfte: Bittsteller, Erkundigungen in der Kanzlei, die Kanzlei selbst, die öffentlichen Sitzungen und die amtlichen Besprechungen. Man mußte verstehen, aus alledem das Frische, Lebendige auszuschalten, das den regelrechten Gang des gerichtlichen Verfahrens immer stört: man durfte sich mit den Menschen in gar keine Beziehungen, außer den dienstlichen, einlassen, und der Anlaß zu diesen Beziehungen durfte nur ein dienstlicher und die Beziehungen selbst durften nur dienstliche sein; da kam zum Beispiel ein Mann und wollte etwas in Erfahrung bringen. Iwan Iljitsch konnte als nicht zuständige Instanz keinerlei Beziehungen zu diesem Menschen haben; wenn aber eine Beziehung dieses Menschen zu ihm als Gerichtsbeamten vorhanden war, eine Beziehung, die auf einem Papier mit entsprechender Aufschrift dargelegt werden konnte – so tat Iwan Iljitsch in den Grenzen dieser Beziehungen alles, entschieden alles, was möglich war, und befliß sich dabei einer menschlichen, freundschaftlichen Art, das heißt der Höflichkeit. Sobald die dienstlichen Beziehungen endeten, endete auch jede andere. Iwan Iljitsch beherrschte diese Kunst, die dienstliche Seite abzusondern, ohne sie mit seinem wirklichen Leben zu verquicken, in so hohem Maße und hatte sie durch die lange Praxis und sein Talent so ausgebildet, daß er sich zuweilen sogar wie ein Virtuose gleichsam im Scherz erlaubte, die menschlichen Beziehungen mit den dienstlichen zu vermischen. Er erlaubte sich das, weil er die Kraft in sich verspürte, jederzeit, wenn es nötig war, das Dienstliche abzusondern und das Menschliche beiseite zu lassen. Diese Arbeit ging bei Iwan Iljitsch nicht nur leicht, angenehm und anständig vor sich, sondern sogar virtuos. In den Zwischenpausen rauchte er, trank Tee, plauderte ein wenig über Politik, ein wenig über allgemeine Dinge, ein wenig über das Kartenspiel, aber am meisten über Ernennungen. Und er kehrte müde, aber mit dem Gefühl eines Virtuosen, der seine Partie, eine der ersten Geigen im Orchester, vorzüglich gespielt hat, nach Hause zurück. Frau und Tochter fand er oft nicht daheim vor, oder es war jemand zu Besuch; der Sohn war im Gymnasium, machte seine Aufgaben mit einem Hauslehrer und lernte alles, was in der Schule gelehrt wurde, so, wie es sich gehörte. Alles war somit gut. Nach Tisch, wenn keine Gäste da waren, las Iwan Iljitsch manchmal irgendein Buch, von dem viel gesprochen wurde, und am Abend setzte er sich an die Arbeit, das heißt, er las in den Akten, schlug in den Gesetzbüchern nach, verglich die Aussagen und paßte sie den Gesetzen an. Er fand das weder langweilig noch erheiternd. Wurde es langweilig, konnte man Whist spielen; ging das nicht, war diese Beschäftigung immer noch besser, als allein oder mit der Frau dazusitzen. Seine Vergnügungen bestanden in kleinen Diners, zu denen er Damen und Herren einlud, die eine wichtige gesellschaftliche Stellung einnahmen, und in dem Zeitvertreib mit ihnen, welcher dem gewöhnlichen Zeitvertreib dieser Menschen völlig glich, ebenso wie sein Salon allen anderen Salons ähnlich war.

Einmal fand bei ihnen sogar eine große Gesellschaft statt, es wurde getanzt. Iwan Iljitsch war in fröhlicher Stimmung, und alles war gut; es gab nur einen großen Streit mit der Frau wegen der Torten und des Konfekts; Praskowja Fjodorowna hatte ihren eigenen Plan, Iwan Iljitsch dagegen bestand darauf, alles von einem teuren Konditor zu beziehen, und bestellte zu viele Torten; der Streit entstand deshalb, weil viele Torten übrigblieben und die Rechnung des Konditors fünfundvierzig Rubel ausmachte. Es war eine heftige und unangenehme Szene, so daß Praskowja

Fjodorowna ihn einen Dummkopf und einen sauertöpfischen Kerl nannte. Er griff sich an den Kopf und machte im Ärger eine Andeutung über eine Scheidung. Aber am Abend selbst war es sehr lustig gewesen. Die beste Gesellschaft war zugegen, und Iwan Iljitsch tanzte mit der Fürstin Trufonowa, einer Schwester jener Dame, die durch die Gründung der Gesellschaft »Lindere meinen Kummer« bekannt war.

Die dienstlichen Freuden waren Freuden des Ehrgeizes; die gesellschaftlichen Freuden waren Freuden der Eitelkeit; aber Iwan Iljitschs echteste Freuden waren die Freuden beim Whistspiel. Er gestand es selber zu, daß seine größte Freude, die wie ein helles Licht vor allen anderen leuchtete, in dem Vergnügen bestand, sich mit guten Spielern, nicht mit Schreiern, zum Whist zu setzen, aber unbedingt zu viert (zu fünft war es weniger angenehm, obwohl man heuchelte und behauptete, es sehr zu lieben), ein kluges, ernstes Spiel zu führen (besonders, wenn man gute Karten hatte), dann zu Abend zu essen und ein Glas Wein zu trinken. Und Iwan Iljitsch legte sich in besonders guter Laune zu Bett, wenn er beim Whist einen kleinen Gewinn zu verzeichnen hatte (ein großer war unangenehm). So lebten sie. Ihr Gesellschaftskreis war der allerbeste, es verkehrten sowohl gewichtige Persönlichkeiten als auch junge Leute in ihrem Haus.

Die Ansichten des Mannes, der Frau und der Tochter über den Kreis ihrer Bekannten stimmten völlig überein: ohne gegenseitige Verabredung hielten sie sich gleicherweise verschiedene Freunde und Verwandte vom Leibe, *kompromittierende* Freunde, die mit Zärtlichkeitsbezeigungen in ihren Salon mit den japanischen Porzellantellern an den Wänden geflattert kamen. Bald hörten diese Freunde auf, umherzuflattern, und bei den Golowins blieb nur noch die beste Gesellschaft. Die jungen Leute machten Lisanka den Hof, und Petristschew, der Sohn Dmitrij Iwanowitsch Petristschews und einziger Erbe seines Vermögens, fing auch an, Lisa den Hof zu machen, so daß Iwan Iljitsch bereits mit Praskowja Fjodorowna darüber Zwiesprache hielt: ob man nicht eine Troikafahrt oder eine Liebhabervorstellung veranstalten sollte.

So lebten sie, und alles ging weiter, ohne sich zu verändern, und alles war sehr schön.

4

Alle waren gesund. Man konnte es nicht als Unwohlsein betrachten, wenn Iwan Iljitsch zuweilen sagte, er habe einen seltsamen Geschmack im Mund und ein etwas unbehagliches Gefühl in der linken Bauchseite. Aber dieses Unbehagen wurde immer größer; es ging zwar noch nicht gleich in Schmerz über, wohl aber in das Gefühl einer fortwährenden Schwere in der Seite und in schlechte Stimmung. Diese schlechte Stimmung wurde stärker und stärker und begann die in der Familie Golowin bestehende Annehmlichkeit eines leichten und anständigen Lebens zu beeinträchtigen. Mann und Frau zankten sich immer öfter, und bald fiel die Leichtigkeit und Annehmlichkeit ab, und nur der Anstand wurde mit Mühe aufrechterhalten. Es spielten sich wieder des öfteren Szenen ab. Wieder blieben nur die Inselchen übrig, aber auch deren gab es nur wenige, auf denen die Gatten sich ohne einen Ausbruch neuer Streitigkeiten begegnen konnten. Und Praskowja Fjodorowna konnte jetzt nicht ohne Grund sagen, daß ihr Mann einen schwierigen Charakter habe. Mit der ihr eigenen Gewohnheit, alles zu übertreiben, behauptete sie, daß er schon immer einen so schwierigen Charakter gehabt habe, und daß man ihre Gutmütigkeit besitzen müsse, um das zwanzig Jahre lang zu ertragen. Es war richtig, daß die Streitigkeiten jetzt von ihm ausgingen. Seine Nörgeleien begannen immer kurz vor den Mahlzeiten, und oft, wenn er gerade zu essen begann, bei der Suppe. Bald machte er eine Bemerkung darüber, daß am Geschirr etwas verdorben war, bald waren ihm die Speisen nicht recht, dann stützte der Sohn den Ellenbogen auf den Tisch, oder die Frisur der Tochter mißfiel ihm. Und an allem gab er Praskowja Fjodorowna die Schuld. Praskowja Fjodorowna widersprach ihm anfänglich und sagte ihm unangenehme Dinge; nachdem er aber zweimal bei Beginn des Mittagessens in eine heftige Wut geraten war, begriff sie, daß es sich um einen krankhaften Zustand handelte, der durch die Aufnahme der Nahrung hervorgerufen wurde, und hielt an sich: sie widersprach nicht mehr, sondern beschleunigte nur den Gang des Mittagsmahls. Praskowja Fjodorowna rechnete sich ihre Zurückhaltung sehr hoch an. Nachdem sie entschieden hatte, daß ihr Mann einen schwierigen Charakter besaß und das Unglück ihres Lebens ausmachte, fing sie an, sich selber zu bedauern. Und je mehr sie sich bedauerte, um so mehr haßte sie ihren Mann. Sie wünschte, daß er sterben möchte, konnte es aber zugleich nicht wünschen, weil es dann kein Gehalt mehr gegeben hätte. Und das brachte sie noch mehr gegen ihn auf. Sie hielt sich für furchtbar unglücklich, weil selbst sein Tod sie nicht retten konnte; sie war gereizt, suchte das zu verbergen, und diese versteckte Gereiztheit verstärkte die Reizbarkeit ihres Gatten. Nach einem Streit, bei dem Iwan Iljitsch besonders ungerecht gewesen war und nachher bei der Aussprache zugab, daß er wirklich sehr reizbar, daß dies aber seiner Krankheit zuzuschreiben sei, sagte sie ihm, daß er sich behandeln lassen müsse, wenn er krank sei, und verlangte, daß er einen berühmten Arzt aufsuche.

Er fuhr zu dem Arzt. Alles war so, wie er es erwartet hatte; alles geschah so, wie es immer geschieht. Das Warten, die blöde Wichtigtuerei des Arztes, die er vom Gericht her kannte, das Beklopfen und Abhorchen, die Fragen, die von vornherein bestimmte und offenbar unnötige Antworten forderten, und die bedeutungsvolle Miene, die da besagte: Sic brauchen sich nur uns unterzuordnen, wir werden alles einrenken – uns ist bekannt und klar, wie man das machen muß, alles auf dieselbe Art für jeglichen Menschen, wer es auch sei. Alles war genauso wie bei Gericht. Der berühmte Arzt setzte ihm gegenüber dieselbe Miene auf, die er im Gericht dem Angeklagten zu zeigen pflegte.

Der Doktor sagte: dies und das deutet darauf hin, daß in Ihrem Innern dies und das ist; wird das aber durch die Untersuchung von dem und jenem nicht bestätigt, so muß man dies und das voraussetzen. Wenn man aber das voraussetzt, dann ... und so weiter. Für Iwan Iljitsch war nur eine Frage wichtig: ob sein Zustand ein gefährlicher war oder nicht. Aber der Arzt überhörte diese unangebrachte Frage geflissentlich. Von seinem Standpunkt aus war es eine müßige Frage und unterlag keiner Beurteilung; für ihn war nur die Erwägung der Möglichkeiten vorhanden – ob es sich um eine Wanderniere, einen chronischen Katarrh oder eine Erkrankung des Blinddarmes handelte. Das Leben Iwan Iljitschs kam nicht in Betracht, es handelte sich nur um die Streitfrage: Wanderniere oder Blinddarm. Und der Arzt entschied diesen Streit auf die glänzendste Weise in Iwan Iljitschs Beisein zugunsten des Blinddarms, wobei er den Vorbehalt machte, daß eine Harnuntersuchung einen neuen

Befund erbringen könne und die Sache dann einer neuen Prüfung unterzogen werden müsse. Alles war genauso, wie Iwan Iljitsch es selber tausendmal auf so glänzende Weise den Angeklagten gegenüber gemacht hatte. Der Arzt hielt seinen Schlußvortrag genauso glänzend und sah den Angeklagten triumphierend, ja sogar fröhlich über die Brille hinweg an. Aus den Schlußworten des Arztes schloß Iwan Iljitsch, daß es schlecht um ihn stand, daß dies aber dem Arzt, und wahrscheinlich allen anderen, ganz gleichgültig, für ihn aber sehr schlimm sei. Und diese Schlußfolgerung versetzte Iwan Iljitsch in schmerzliche Betroffenheit und rief in ihm das Gefühl eines großen Mitleids mit sich selber und eines großen Zornes gegen den Arzt hervor, der sich dieser Frage gegenüber so gleichgültig verhielt.

Er sagte aber nichts, legte das Geld auf den Tisch und bemerkte seufzend: »Wir Kranken stellen Ihnen wahrscheinlich sehr oft unangebrachte Fragen. Ist das im allgemeinen eine gefährliche Krankheit oder nicht?…«

Der Arzt sah ihn mit einem Auge streng über die Brille hinweg an, als wollte er sagen: Angeklagter, wenn Sie nicht in den Grenzen der an Sie gerichteten Fragen bleiben, werde ich mich genötigt sehen, Sie aus dem Sitzungssaal entfernen zu lassen.

»Ich habe Ihnen bereits gesagt, was ich für nötig und richtig hielt«, antwortete der Arzt. »Das Weitere wird die Untersuchung zeigen«, und er verneigte sich.

Iwan Iljitsch ging langsam hinaus, setzte sich niedergeschlagen in den Schlitten und fuhr nach Hause. Unterwegs dachte er unausgesetzt an alles, was der Arzt gesagt hatte, bemühte sich, alle diese verwickelten, unklaren, gelehrten Worte in die gewöhnliche Sprache zu übersetzen und aus ihnen die Antwort auf seine Frage herauszulesen: Steht es schlecht, sehr schlecht um mich, oder ist es noch nicht so schlimm? Und es schien ihm, daß der Sinn aller Worte des Arztes der war, daß es sehr schlecht um ihn stehe. Alles auf der Straße kam Iwan Iljitsch traurig vor. Die Droschkenkutscher waren traurig, die Häuser, die Vorübergehenden und die Kaufläden. Und dieser Schmerz, dieser dumpfe, nörgelnde Schmerz, der nicht für eine Sekunde aussetzte, schien im Zusammenhang mit den unklaren Reden des Arztes eine andere, ernstere Bedeutung zu erhalten. Iwan Iljitsch beobachtete ihn jetzt mit einem neuen, schweren Gefühl.

Er kam nach Hause und erzählte alles seiner Frau. Die Frau hörte ihm zu, aber mitten im Gespräch kam die Tochter im Hut herein, um mit der Mutter auszufahren. Sie zwang sich niederzusitzen und diese langweilige Sache anzuhören, hielt es aber nicht lange aus, und die Mutter hörte auch nicht bis zu Ende zu.

»Nun, ich bin sehr froh«, sagte sie, »sieh zu, nimm die Arznei nur immer ganz regelmäßig ein. Gib das Rezept her, ich werde Gerasim in die Apotheke schikken.« Und sie ging, um sich anzukleiden.

Er hielt den Atem an, solange sie noch im Zimmer war, und seufzte schwer auf, nachdem sie gegangen war.

»Nun, was denn«, sagte er. »Vielleicht ist es wirklich noch nicht so schlimm.«

Er fing an, die Arznei einzunehmen und die Vorschriften des Arztes zu befolgen, die sich nach der Harnuntersuchung geändert hatten. Aber gerade da geschah es, daß in dieser Untersuchung und in dem, was daraus folgen sollte, irgend etwas nicht stimmte. Der Arzt selbst war nicht zu erreichen, und daher kam es, daß nicht das Richtige gemacht wurde, wie der Arzt es angeordnet hatte – oder der Arzt hatte etwas vergessen oder ihn getäuscht oder irgend etwas vor ihm verheimlicht.

Trotzdem begann Iwan Iljitsch die Vorschriften genau zu befolgen und fand in der ersten Zeit einen gewissen Trost darin.

Seine hauptsächliche Beschäftigung bestand seit dem Besuch des Arztes in der genauen Befolgung der ärztlichen Vorschriften hinsichtlich der Hygiene, des Einnehmens der Arzneien und des Beobachtens seiner Schmerzen und aller Funktionen des Organismus. Die menschlichen Krankheiten und die menschliche Gesundheit bildeten jetzt sein Hauptinteresse. Wenn in seinem Beisein von Kranken, Verstorbenen oder Genesenen gesprochen wurde, besonders aber, wenn die erwähnte Krankheit der seinen ähnlich war, so bemühte er sich, seine Erregung zu verbergen, hörte zu, fragte aus und verglich das Gehörte mit seinem eigenen Leiden.

Die Schmerzen ließen nicht nach; aber Iwan Iljitsch bezwang sich, um sich glauben zu machen, es ginge ihm besser. Und er konnte sich selber betrügen, solange ihn nichts aufregte. Sobald es aber eine Unannehmlichkeit mit seiner Frau gab, einen Mißerfolg im Dienst, schlechte Karten beim Whist, empfand er sofort die ganze Schwere seiner Krankheit: früher hatte er solche Mißerfolge hingenommen in der Erwartung, daß er das Schlechte sofort verbessern, bewältigen, einen Erfolg erringen, einen großen *Schlemm* machen würde; jetzt aber warf ihn jeder Mißerfolg um und brachte ihn zur Verzweiflung. Er sagte sich: Jetzt habe ich eben erst angefangen, mich zu erholen, und die Arznei hat schon angefangen zu wirken, und nun kommt dieses verfluchte Unglück oder diese Unannehmlichkeit … Und er ärgerte sich über das Ungemach oder über die Menschen, die ihm Unannehmlichkeiten bereiteten und ihn zugrunde richteten, und fühlte, wie dieser Ärger ihm schadete, aber er konnte sich nicht beherrschen. Es hatte ihm doch klar sein müssen, daß dieser Zorn auf die Verhältnisse und die Menschen seine Krankheit verschlimmerte, und daß er daher solchen unangenehmen Zufälligkeiten keine Aufmerksamkeit schenken dürfe; aber er urteilte gerade entgegengesetzt: er sagte, daß er Ruhe brauche, beachtete alles, was diese Ruhe stören konnte, und geriet bei der geringsten Störung in Aufregung. Sein Zustand verschlechterte sich auch dadurch, daß er medizinische Bücher las und sich viel mit Ärzten beriet. Diese Verschlimmerung ging so gleichmäßig vor sich, daß er sich selber betrügen konnte, wenn er einen Tag mit dem anderen verglich – so gering war der Unterschied. Aber wenn er sich mit den Ärzten beriet, schien es ihm, daß sein Zustand sich verschlimmere, und das sogar sehr schnell; trotzdem befragte er die Ärzte sehr oft.

In diesem Monat hatte er eine andere Berühmtheit aufgesucht; die zweite Berühmtheit sagte beinahe genau dasselbe wie die erste, stellte nur die Fragen anders. Und die Beratung mit dieser Berühmtheit verdoppelte lediglich Iwan Iljitschs Zweifel und seine Angst. Ein Freund seines Freundes, ein sehr guter Arzt, stellte die Krankheit wieder ganz anders dar und verwirrte Iwan Iljitsch, obwohl er Wiederherstellung versprach, durch seine Fragen und Voraussetzungen noch mehr und verstärkte seine Zweifel. Ein Homöopath stellte noch etwas anderes fest, verschrieb eine Arznei, und Iwan Iljitsch nahm sie eine Woche lang heimlich ein. Als er aber nach Ablauf dieser Zeit keinerlei Erleichterung verspürte, verlor er das Zutrauen zu den früheren Kuren und auch zu dieser und verfiel in eine große Niedergeschlagenheit. Einmal erzählte eine befreundete Dame von einer Heilung durch Heiligenbilder. Iwan Iljitsch ertappte sich dabei, daß er aufmerksam zuhörte und die Wirklichkeit der Tatsache überprüfte. Dieser Vorgang erschreckte ihn.

»Bin ich wirklich so geistesschwach geworden?« fragte er sich. »Ach was! ... Alles ist Unsinn; man muß sich keinem Mißtrauen hingeben, sondern sich einen Arzt wählen und seine Vorschriften streng befolgen. So werde ich auch handeln. Jetzt wird Schluß gemacht. Ich werde nicht grübeln und bis zum Sommer die Kur streng durchführen. Und dann wird man sehen. Jetzt muß dieses Hinundherschwanken ein Ende nehmen! ...«

Das war leicht gesagt, aber unmöglich zu erfüllen. Der Schmerz in der Seite quälte ihn fortwährend, schien sich immer noch zu verstärken, wurde beständiger, der Geschmack im Munde wurde immer merkwürdiger – er hatte die Empfindung, als entströme ein ekelhafter Geruch seinem Munde; der Appetit und die Kräfte schwanden mehr und mehr. Iwan Iljitsch konnte sich nicht mehr selber betrügen: etwas Furchtbares, Neues und so Bedeutungsvolles, wie es ihm noch nie in seinem Leben widerfahren war, ging in ihm vor. Und er allein wußte darum, denn alle, die ihn umgaben, begriffen es nicht oder wollten es nicht begreifen und dachten, in der Welt ginge alles seinen gewohnten Gang. Das quälte Iwan Iljitsch am allermeisten. Seine Angehörigen, hauptsächlich seine Frau und seine Tochter, die sich mitten im Strudel der Gesellschaft befanden, begriffen, wie er sah, nichts davon und ärgerten sich, daß er so unlustig und ansprucharsvoll war, als sei er schuld daran. Sie gaben sich zwar Mühe, das zu verbergen, aber er merkte, daß er ihnen ein Hindernis war und daß seine Frau sich eine besondere Meinung über seine Krankheit zurechtgelegt hatte und daran festhielt, ganz unabhängig davon, was er tat oder sagte. Und das äußerte sich so: »Sie wissen«, sagte sie zu ihren Bekannten, »Iwan Iljitsch kann, wie alle gutmütigen Menschen, die vorgeschriebene Kur nicht streng durchführen. Heute nimmt er die Tropfen ein und ißt das, was ihm vorgeschrieben ist, geht auch zur Zeit schlafen; morgen, wenn ich es übersehe, vergißt er plötzlich, die Arznei einzunehmen, ißt ein Stück Stör – und das ist ihm verboten – und sitzt bis ein Uhr nachts beim Whist.«

»Nun, wann war denn das!« bemerkte Iwan Iljitsch ärgerlich. »Ein einziges Mal bei Pjotr Iwanowitsch.«

»Aber gestern mit Schebek.«

»Ich hätte ohnehin vor Schmerzen nicht schlafen können …«

»Das mag sein wie es will, nur wirst du auf diese Weise nie gesunden und quälst uns nur.«

Praskowja Fjodorownas äußeres Verhältnis zur Krankheit ihres Mannes, das sie anderen und auch ihm gegenüber bekundete, ging darauf hinaus, daß Iwan Iljitsch selber die Schuld an dieser Krankheit trage und daß diese eine neue Unannehmlichkeit sei, die er der Frau bereitete. Iwan Iljitsch fühlte, daß ihr Gedankengang ein unfreiwilliger war, davon wurde ihm aber nicht leichter.

Bei Gericht bemerkte Iwan Iljitsch dasselbe seltsame Verhältnis zu seiner Person oder glaubte wenigstens, es zu bemerken: bald schien es ihm, daß man ihn als einen Menschen betrachtete, der in Kürze einen Posten freimachen werde; dann wieder machten sich seine Kollegen in freundschaftlicher Weise über seinen Argwohn lustig, als sei dieses Furchtbare und Schreckliche, dieses Unerhörte, das sich in ihm eingenistet hatte, unausgesetzt an ihm nagte und ihn unaufhaltsam mit fortriß, der geeignetste Gegenstand für einen Scherz. Ganz besonders reizte ihn Schwarz durch sein spielerisches Wesen, seine Lebenskraft und sein ganzes *comme il faut*, das Iwan Iljitsch daran erinnerte, wie er selbst vor zehn Jahren gewesen war.

Da kamen seine Freunde zu einer Kartenpartie. Man setzte sich an den Tisch. Die neuen Karten wurden gebogen, um sie schmiegsam zu machen, man legte Karo zu Karo, es waren ihrer sieben. Der Partner sagte »*Grandissimo*« und hielt zwei Karo. Was wollte man noch mehr? Es war lustig, nun mußte man einen *Schlemm* machen. Und plötzlich spürte Iwan Iljitsch diesen unangenehmen Schmerz, diesen Geschmack im Mund, und es erschien ihm wie etwas Widersinniges, daß er sich dabei über den *Schlemm* freuen konnte.

Er schaute seinen Partner Michail Michailowitsch an, wie er sanguinisch mit der Hand auf den Tisch schlug und sich höflich und nachsichtig vom Einstreichen der Stiche zurückhielt, sie Iwan Iljitsch hinschob, um ihm das Vergnügen zu überlassen, sie einzuziehen, ohne daß er sich zu bemühen brauchte, die Hand weit danach auszustrecken. Denkt er vielleicht, daß ich zu schwach bin, daß ich die Hand nicht weit ausstrecken kann? dachte Iwan Iljitsch, vergaß, was Trumpf war, spielte zweimal unnötigerweise Trumpf aus, verlor den *Schlemm*, und was am furchtbarsten war – er sah, wie Michail Michailowitsch darunter litt, während ihm alles ganz gleichgültig war. Und es war furchtbar, daran zu denken, *warum* ihm alles gleichgültig war.

Alle sahen, daß es ihm schwer fiel, und sagten zu ihm: »Wir können aufhören zu spielen, wenn Sie müde sind. Ruhen Sie aus.« Ausruhen? Nein, er war durchaus nicht müde; sie spielten den *Robber* zu Ende. Alle waren düster und schweigsam. Iwan Iljitsch fühlte, daß er an ihrer düsteren Stimmung schuld war, und konnte sie trotzdem nicht verscheuchen. Sie blieben noch zum Abendessen und fuhren dann fort, und Iwan Iljitsch blieb allein mit dem Bewußtsein, daß sein Leben vergiftet und das Leben anderer vergiftet war, und daß diese Vergiftung nicht abnahm, sondern sein ganzes Sein mehr und mehr durchdrang.

Und mit dieser Erkenntnis, zu der sich noch der körperliche Schmerz gesellte und das Entsetzen über seinen Zustand, mußte er sich ins Bett legen und konnte oft vor Schmerzen die größere Hälfte der Nacht nicht schlafen. Und am Morgen mußte er wieder aufstehen, sich ankleiden, aufs Gericht fahren, reden, schreiben; fuhr er aber nicht aufs Gericht, so mußte er dieselben vierundzwanzig Stunden, von denen jede eine Qual bedeutete, zu Hause verbringen. Und so lebte er ganz allein am Rande des Verderbens dahin, ohne einen Menschen zu haben, der ihn verstanden und bemitleidet hätte.

5

So verging ein Monat und ein zweiter. Vor Neujahr kam sein Schwager in ihren Wohnort und stieg bei ihnen ab. Iwan Iljitsch war auf dem Gericht. Praskowja Fjodorowna war verschiedener Besorgungen wegen in die Stadt gefahren. Als Iwan Iljitsch sein Arbeitszimmer betrat, traf er dort den Schwager an, einen gesunden Sanguiniker, der seine Reisetasche auspackte. Als er Iwan Iljitschs Schritte vernahm, hob er den Kopf und sah ihn eine Sekunde lang schweigend an. Dieser Blick verriet Iwan Iljitsch alles. Der Schwager öffnete den Mund, um »Ach?« zu rufen, hielt sich aber zurück. Diese Bewegung bestätigte die trüben Ahnungen.

»Ich habe mich wohl verändert?«

»Ja … eine Veränderung ist vorhanden.«

Und jedesmal, wenn Iwan Iljitsch seinen Schwager während ihrer Unterhaltung auf ein Gespräch über sein Äußeres bringen wollte, hüllte sich dieser in

Schweigen. Praskowja Fjodorowna kam nach Hause; der Schwager ging zu ihr. Iwan Iljitsch schloß die Tür ab und besah sich im Spiegel – erst von vorn, dann von der Seite. Er nahm eine Photographie, die ihn mit seiner Frau darstellte, zur Hand und verglich sein Bild mit dem, was er im Spiegel sah. Die Veränderung war gewaltig. Dann entblößte er seinen Arm bis zum Ellenbogen, betrachtete ihn, streifte die Ärmel wieder darüber, setzte sich auf die Ottomane und wurde düsterer als die Nacht.

»Ich darf nicht, ich darf nicht«, sagte er sich, sprang auf, ging zum Tisch, öffnete die Akten, fing an zu lesen, vermochte es aber nicht. Er schloß die Tür auf und ging in den Saal, dessen Tür nur angelehnt war. Er ging auf den Zehenspitzen an sie heran und horchte.

»Nein, du übertreibst«, sagte Praskowja Fjodorowna.

»Wieso übertreibe ich? Du siehst das nicht – er ist ein toter Mann, schau seine Augen an. Sie haben keinen Glanz. Was fehlt ihm denn?«

»Niemand weiß es. Nikolajew« – das war der andere Arzt – »hat etwas gesagt, aber ich weiß es nicht. Leschetizkij« – das war der berühmte Arzt – »sagte das Gegenteil ...«

Iwan Iljitsch entfernte sich, ging in sein Zimmer, legte sich hin und dachte: Die Niere, die wandernde Niere! Er erinnerte sich an alles, was die Ärzte ihm gesagt hatten, wie sie sich losgerissen hatte und wie sie wanderte. Und er versuchte in seiner Vorstellung, diese Niere zu fangen, sie anzuhalten und zu befestigen: so wenig war dazu nötig, schien es ihm.

»Nein, ich werde noch zu Pjotr Iwanowitsch fahren.«

Das war der Freund, dessen Freund Arzt war.

Er klingelte, befahl anzuspannen und machte sich zur Ausfahrt bereit.

»Wohin willst du fahren, Jean?« fragte seine Frau mit einem besonders traurigen und ungewöhnlich gütigen Ausdruck.

Dieser ungewohnte gütige Ausdruck versetzte ihn in Zorn. Er sah sie düster an.

»Ich muß zu Pjotr Iwanowitsch.«

Er fuhr zu seinem Freund, dessen Freund Arzt war. Und mit ihm zusammen zum Arzt. Er traf ihn an und sprach lange mit ihm.

Nachdem er anatomisch und physiologisch alle Einzelheiten dessen, was nach der Meinung des Arztes in ihm vorging, betrachtet hatte, begriff er alles.

Da war ein Ding, ein ganz kleines Ding im Blinddarm. Das konnte alles besser werden. Man mußte die Energie des einen Organs verstärken, die Tätigkeit des anderen abschwächen, dann würde eine Aufsaugung vor sich gehen und alles gut werden. Er kam ein wenig zu spät zum Mittagessen. Er speiste, unterhielt sich angeregt, konnte sich aber lange nicht entschließen, zu seiner Arbeit zurückzukehren. Endlich ging er in sein Zimmer und setzte sich sofort an die Arbeit. Er sah die Akten durch, arbeitete, aber das Bewußtsein, daß eine aufgeschobene, wichtige seelische Angelegenheit nach Beendigung der Arbeit seiner wartete, verließ ihn nicht. Als er fertig war, besann er sich, daß diese seelische Angelegenheit seine Gedanken über den Blinddarm waren. Aber er gab sich ihnen nicht hin, sondern ging in den Salon zum Tee. Es war Besuch da, man unterhielt sich, spielte Klavier und sang, auch der Untersuchungsrichter, der erwünschte Bräutigam für seine Tochter, war zugegen. Iwan Iljitsch verbrachte den Abend, wie Praskowja Fjodorowna bemerkte, fröhlicher als die anderen, aber er vergaß keinen Augenblick, daß er die wichtigen Gedanken über den Blinddarm aufgeschoben hatte. Um elf Uhr verabschiedete er sich und ging in sein Zimmer. Seit seiner Krankheit schlief er allein in einem kleinen Gemach neben dem Herrenzimmer. Er kleidete sich aus und nahm einen Roman von Zola zur Hand, las aber nicht, sondern versank in Nachdenken. Jene ersehnte Heilung des Blinddarms ging in seiner Phantasie vor sich. Es saugte sich etwas auf, es schied etwas aus, und die regelrechte Funktion wurde wiederhergestellt. »Ja, das ist alles so«, sagte er sich, »man muß nur der Natur nachhelfen.« Er erinnerte sich an seine Arznei, richtete sich auf, nahm sie ein, legte sich auf den Rücken und horchte in sich hinein, wie wohltuend die Arznei wirkte und wie sie den Schmerz vernichtete. »Man muß nur regelmäßig einnehmen und alle schädlichen Einflüsse vermeiden; ich fühle mich jetzt schon etwas besser, viel besser.« Er befühlte seine Seite – es tat nichts weh. »Ja, ich spüre es nicht mehr, wirklich, es ist schon viel besser.« Er löschte das Licht und legte sich auf die Seite … »Der Blinddarm heilt …«

Plötzlich fühlte er den ihm bekannten, alten, dumpfen, nagenden, hartnäckigen, stillen und ernstlichen Schmerz. Im Munde war derselbe bekannte ekelhafte Geschmack. Das Herz stand ihm still, seine Sinne verwirrten sich. »Mein Gott, mein Gott!« stammelte er. »Wieder, wieder ist es da und wird niemals aufhören.« Und plötzlich stellte sich ihm die Sache von einer ganz anderen Seite dar.

»Der Blinddarm! Die Niere!« sagte er sich. »Hier geht es nicht um den Blinddarm oder die Niere, hier geht es um Leben oder … Tod. Ja, ich habe das Leben besessen, und nun schwindet es, schwindet, und ich kann es nicht zurückhalten. Ja. Warum soll ich mich selbst betrügen? Sehen es denn nicht alle, außer mir, daß ich sterbe, und daß dies nur eine Frage von Wochen, von Tagen ist … Vielleicht sterbe ich jetzt gleich. Erst war das Licht da, und jetzt ist Dunkelheit. Damals war ich hier, und jetzt gehe ich dahin. Wohin?« Eiseskälte überlief ihn, der Atem stockte. Er hörte nur den Schlag seines Herzens.

»Wenn ich nicht mehr bin, was wird denn dann sein? Nichts wird sein. Wo werde ich denn sein, wenn ich nicht mehr bin? Ist das am Ende der Tod? Nein, ich will nicht.« Er sprang auf, wollte das Licht anzünden, tastete mit zitternden Händen nach den Streichhölzern, warf den Leuchter mit der Kerze auf den

Fußboden und fiel wieder auf das Kissen zurück. »Warum? Es ist ja ganz gleichgültig«, sagte er sich, mit offenen Augen in die Finsternis starrend. »Der Tod, ja, der Tod. Und sie wissen es alle nicht und wollen es nicht wissen und haben kein Mitleid mit mir. Sie spielen.« Er hörte von ferne durch die Tür eine singende Stimme und die Klänge eines Ritornells. »Es ist ihnen ganz gleichgültig, und doch werden sie auch sterben. Die Dummköpfe! Mich trifft es früher, jene dort später, aber es wird sie auch treffen. Und sie freuen sich. Diese Bestien!« Die Wut drohte ihn zu ersticken. Es wurde ihm qualvoll, unerträglich schwer zumute. »Es kann doch nicht sein, daß alle zu solch einer furchtbaren Angst verurteilt sind?« Er erhob sich. »Irgend etwas stimmt nicht; ich muß mich beruhigen, ich muß alles von Anfang an überdenken.« Und er begann nachzudenken. »Ja, der Beginn der Krankheit. Ich erlitt einen Stoß in die Seite, und ich blieb immer derselbe, heute so wie morgen; es war erst ein ziehender Schmerz, dann wurde er stärker, dann kamen die Ärzte, dann begann die Niedergeschlagenheit, die Seelenpein; wieder kamen die Ärzte; und ich näherte mich immer mehr und mehr dem Abgrund. Die Kräfte nahmen ab. Näher, näher. Und jetzt sieche ich dahin, meine Augen haben keinen Glanz mehr. Der Tod kommt, und ich denke an den Blinddarm. Ich denke daran, wie man diesen Blinddarm heilen könnte, und dabei ist das der Tod. Ist es wirklich der Tod?« Wieder packte ihn Entsetzen, er rang nach Atem, bückte sich, suchte die Streichhölzer und drückte dabei mit dem Ellenbogen gegen das Nachttischchen. Es störte ihn und bereitete ihm Schmerzen, er ärgerte sich darüber, stieß im Zorn stärker dagegen, warf das Tischchen um. Und sank voller Verzweiflung, nach Atem ringend, auf den Rükken nieder und erwartete sein sofortiges Ende.

In diesem Augenblick verließen die Gäste das Haus. Praskowja Fjodorowna begleitete sie. Sie hörte den Lärm und kam ins Zimmer.

»Was machst du?«

»Nichts. Ich habe das Tischchen zufällig umgestoßen.«

Sie ging hinaus und brachte ein Licht. Er lag schwer und rasch atmend da wie ein Mensch, der eine Werst weit gelaufen ist, und sah sie mit starren Augen an.

»Was ist dir, Jean?«

»Nichts. Um ... ge ... stoßen.« – Wozu soll ich sprechen? Sie wird es nicht verstehen, dachte er.

Sie begriff es wirklich nicht. Sie hob das Tischchen auf, zündete die Kerze an und ging schnell fort: sie mußte eine Dame begleiten. Als sie zurückkam, lag er noch immer auf dem Rücken und blickte auf zur Decke.

»Was ist dir, geht es dir schlechter?«

»Ja.«

Sie schüttelte den Kopf und setzte sich zu ihm. »Weißt du, Jean, ich denke, ob wir nicht Leschetizkij um seinen Besuch bitten sollten?«

Das bedeutete also, den berühmten Arzt holen zu lassen und keinerlei Geldausgaben zu scheuen. Er lächelte giftig und sagte: »Nein.« Sie saß ein Weilchen bei ihm, trat zu ihm heran und küßte ihn auf die Stirn.

Er haßte sie mit der ganzen Kraft seiner Seele, als sie ihn küßte, und mußte sich Gewalt antun, sie nicht zurückzustoßen.

»Gute Nacht! Gebe Gott, daß du einschläfst.«

»Ja.«

6

Iwan Iljitsch sah, daß er dem Tod verfallen war, und befand sich in beständiger Verzweiflung.

Im Grunde seiner Seele wußte er, daß er sterben mußte, aber es war ihm nicht möglich, sich an den Gedanken zu gewöhnen, er begriff es einfach nicht, konnte es durchaus nicht fassen.

Jenes Beispiel eines Vernunftschlusses, das er in der *Logik* von Kiesewetter gelernt hatte: Cajus ist ein Mensch, alle Menschen sind sterblich, folglich ist Cajus sterblich, war ihm sein Leben lang richtig erschienen, aber nur in bezug auf Cajus, durchaus nicht in bezug auf sich selber. Jener war der Mensch Cajus, ein Mensch im allgemeinen, und das war vollkommen gerecht; aber *er* war nicht Cajus und nicht ein Mensch im allgemeinen, er war stets ein ganz, ganz besonderes Wesen, anders als alle anderen gewesen; er war doch Wanja gewesen, mit Mama, mit Papa, mit Mitja und Wolodja, mit seinem Spielzeug, mit dem Kutscher, der Kinderfrau, dann später mit Katenka, mit allen Freuden, Kümmernissen, Wonnen der Kindheit und der Jugend. Hatte denn Cajus jenen Geruch des gestreiften Lederballs gekannt, den Wanja so sehr liebte? Hatte denn Cajus die Hand seiner Mutter geküßt, und hatten etwa für Cajus die Falten von Mutters Seidenkleid gerauscht? Hatte er sich in der Rechtsschule um die Piroggen gerauft? War denn Cajus so verliebt gewesen? Verstand denn Cajus eine Sitzung so zu leiten?

Und Cajus war wirklich sterblich, und folglich mußte er sterben, aber für mich, für Wanja, für Iwan Iljitsch, mit all meinen Gefühlen, Gedanken – für mich ist das etwas ganz anderes. Und es kann nicht sein, daß ich sterben muß. Das wäre zu schrecklich.

So war sein Empfinden. »Wenn auch ich sterben müßte wie Cajus, so würde ich das wissen, so würde mir eine innere Stimme das sagen; aber nichts Derartiges ist in mir vorgegangen; und ich und alle meine Freunde – wir haben begriffen, daß es mit uns gar nicht so ist wie mit Cajus. Und nun dies! Es kann nicht sein! Es kann nicht sein und ist doch. Wie denn? Wie soll man das verstehen?«

Und er konnte es nicht verstehen und bemühte sich, diesen Gedanken wie etwas Falsches, Unnormales, Krankhaftes zu verscheuchen und ihn durch andere, normale, gesunde Gedanken zu verdrängen. Aber dieser Gedanke – er war nicht nur ein Gedanke, sondern gleichsam die Wirklichkeit selbst – tauchte von neuem auf und stand ihm vor Augen.

Und er rief der Reihe nach andere Gedanken an die Stelle dieses Gedankens, in der Hoffnung, in ihnen eine Stütze zu finden. Er versuchte, zu seinen früheren Gedankengängen zurückzukehren, die den Gedanken an den Tod bisher verborgen hatten. Aber – merkwürdig! – alles, was früher das Bewußtsein des Todes verdeckt, verborgen, vernichtet hatte, vermochte diese Wirkung jetzt nicht mehr hervorzubringen. Iwan Iljitsch verbrachte jetzt den größten Teil seiner Zeit mit den Versuchen, den früheren Gang seiner Gedanken, die den Tod verbargen, wiederherzustellen. Manchmal sagte er sich: »Ich muß mich meinem Dienst widmen, ich habe ja nur durch ihn gelebt.« Und er ging auf das Gericht und scheuchte alle Zweifel von sich, er begann ein Gespräch mit seinen Kollegen und setzte sich, nach alter Gewohnheit mit zerstreutem, nachdenklichem Blick über die Menge schweifend, in den Sessel, wobei er sich mit den abgezehrten Händen auf die Armlehnen aus Eichenholz stützte; und wie gewöhnlich beugte er sich zu seinem Kollegen hinüber, schob ihm die Akten hin, flüsterte mit ihm, um dann plötzlich, erhobenen Blickes und aufrecht sitzend, die bekannten Worte auszusprechen und die Verhandlung zu eröffnen. Aber mitten darin begann plötzlich der Schmerz in der Seite *sei-*

ne nagende Arbeit, ohne der Entwicklung des Prozesses irgendwelche Beachtung zu schenken. Iwan Iljitsch horchte in sich hinein, verjagte den Gedanken an den Schmerz, dieser aber fuhr fort, das Seine zu tun, und er kam und blieb dicht vor ihm stehen und sah ihn an; Iwan Iljitsch erstarrte, das Feuer in seinen Augen erlosch, und er begann sich wieder zu fragen: Ist wirklich nur *er* die Wahrheit? Und die Kollegen und die Untergebenen sahen voller Verwunderung und Kummer, daß er, ein so glänzender, scharfsinniger Richter, verwirrt wurde und Fehler machte. Er raffte sich auf, suchte sich zu besinnen, führte die Verhandlung irgendwie zu Ende und kehrte mit der traurigen Erkenntnis heim, daß sein richterliches Amt nicht mehr imstande war, in alter Weise das vor ihm zu verbergen, was er nicht sehen wollte, daß er sich durch sein richterliches Amt nicht vor *ihm* retten konnte. Und das Schlimmste war, daß er seine Gedanken nicht deshalb auf sich lenkte, damit er etwas tun sollte, sondern nur, damit er ihn anschaue, ihm gerade in die Augen blicke, ihn anstarre und sich, ohne etwas zu tun, unsagbar quäle. Und um sich vor diesem Zustande zu retten, suchte Iwan Iljitsch Trostmittel, suchte eine andere Schutzwand, und er fand eine andere Schutzwand, und sie rettete ihn gleichsam für kurze Zeit, aber bald war auch sie, wenn auch nicht zerstört, so doch durchlässig geworden, als ob er alles durchdränge und nichts ihn zu verbergen vermöchte.

Es kam in dieser letzten Zeit vor, daß er den Salon betrat, den er eingerichtet hatte, diesen Salon, wo er gefallen war, für dessen Einrichtung – wie giftig und lächerlich war der Gedanke! – er sein Leben geopfert hatte, denn er wußte, daß seine Krankheit mit dem Stoß, den er damals erhalten, begonnen hatte. – Er trat ein und sah, daß auf dem lackierten Tisch eine Schramme war. Er suchte nach der Ursache und fand sie in der Bronzeverzierung eines Albums, die am Rand verbogen war. Er nahm das kostbare Album, das er mit so viel Liebe zusammengestellt hatte, und ärgerte sich über die Unordentlichkeit seiner Tochter und ihrer Freunde – hier war etwas abgerissen, da steckten die Bilder verkehrt darin. Er brachte alles sorgfältig in Ordnung und bog die Verzierung wieder zurecht. Dann kam ihm der Gedanke, dieses ganze *Etablissement* mit den Alben zu den Blumen in die andere Ecke des Zimmers zu stellen; er rief den Lakaien herbei, oder die Tochter und die Frau kamen ihm zu Hilfe; sie waren nicht einverstanden, widersprachen, er stritt und ärgerte sich; aber alles war gut, weil er nicht an *ihn* erinnert wurde, weil er *ihn* nicht sah.
Da sagte seine Frau plötzlich, als er selber etwas auf einen anderen Platz rückte: »Erlaube, das werden die Dienstboten machen, du kannst dir wieder einen Schaden zufügen« – und sofort tauchte *er* hinter der Schutzwand auf, er sah *ihn*. *Er* war nur vorübergehuscht, Iwan Iljitsch hoffte, daß *er* wieder verschwinden würde, unwillkürlich aber horchte er nach sei-

ner Seite – dort saß immer noch dasselbe, es nagte noch genauso, er konnte nun nicht mehr vergessen und sah ihn deutlich zwischen den Blumen hindurch an. Wozu das alles?

»Und es ist wahr, daß ich hier, an diesem Vorhang, mein Leben wie bei einem Sturmangriff verloren habe? Ist das möglich? Wie furchtbar das ist und wie dumm! Das kann nicht sein! Es kann nicht sein, aber es ist so.«

Er ging in das Herrenzimmer, legte sich hin und blieb wieder allein mit *ihm*. Auge in Auge mit *ihm*, und er konnte nichts mit *ihm* machen, nur auf *ihn* blicken und erstarren.

7

Wie das im dritten Monat der Krankheit Iwan Iljitschs geschah, konnte man nicht sagen, denn es vollzog sich Schritt für Schritt, unmerklich; aber es geschah dennoch, daß sowohl die Frau als auch die Tochter und der Sohn, die Dienstboten, die Bekannten und die Ärzte und in der Hauptsache er selber wußten, daß die ganze Teilnahme der anderen für ihn nur darin bestand, ob er denn endlich bald seinen Platz freimachen, die Lebenden von dem Zwang, den seine Anwesenheit ihnen auferlegte, befreien und selber von seinen Leiden erlöst würde. Er schlief immer weniger und schlechter; man gab ihm Opium und be-

gann, ihm Morphium einzuspritzen. Aber das brachte ihm keine Erleichterung. Die dumpfe Seelenqual, die er in dem Dämmerzustand empfand, erleichterte seine Leiden nur zu Anfang, wie etwas Neues, aber dann wurde sie ebenso oder sogar noch qualvoller als der anfängliche Schmerz. Die Speisen wurden für ihn nach besonderer Vorschrift der Ärzte zubereitet; aber er fand sie von Tag zu Tag unschmackhafter, und sie wurden ihm immer widerwärtiger. Auch für seinen Stuhlgang wurden besondere Vorkehrungen getroffen, und es war ihm jedesmal eine Qual. Eine Qual wegen der Unsauberkeit, der Unziemlichkeit und des Geruchs und wegen des Bewußtseins, daß ein anderer Mensch daran beteiligt sein mußte.
Aber gerade aus dieser unangenehmsten Sache erwuchs Iwan Iljitsch ein Trost. Der Diener Gerasim kam immer, um den Nachtstuhl hinauszutragen. Gerasim war ein sauberer, frischer, in der herrschaftlichen Kost dick gewordener, junger Bauer. Er war immer lustig und strahlend. Anfänglich machte der Anblick dieses stets nach russischer Art gekleideten Menschen, der diese widerliche Arbeit besorgen mußte, Iwan Iljitsch verlegen. Einmal fiel Iwan Iljitsch, als er vom Nachtstuhl aufstand und nicht die Kraft hatte, seine Beinkleider aufzuheben, in einen weichen Lehnstuhl und schaute voller Entsetzen auf seine entblößten, kraftlosen Schenkel mit den scharf hervortretenden Muskeln. Da kam Gerasim mit seinem leichten, sicheren Gang in den dicken Stiefeln

herein und verbreitete einen angenehmen Geruch von geteerten Stiefeln und frischer Winterluft; er trug eine saubere Schürze aus Hanfleinen und ein sauberes Kattunhemd, dessen Ärmel auf den nackten, starken, jungen Armen in die Höhe gestreift waren; ohne Iwan Iljitsch anzusehen und offenbar bemüht, die Lebensfreude, die aus seinem Gesicht strahlte, zu unterdrücken, um den Kranken nicht zu verletzen, näherte er sich dem Nachtstuhl.

»Gerasim«, sagte Iwan Iljitsch schwach.

Gerasim fuhr zusammen, sichtlich erschrocken, am Ende einen Verstoß begangen zu haben, und wandte mit einer raschen Bewegung sein frisches, gutes, gewöhnliches, junges Gesicht, auf dem eben erst der Bart zu sprießen begann, dem Kranken zu.

»Was wünschen Sie?«

»Ich denke, das muß dir unangenehm sein. Entschuldige mich. Ich kann nicht anders.«

»Ich bitte Sie!« Gerasims Augen blitzten, und er zeigte seine weißen Zähne. »Warum sollte ich mich denn nicht bemühen? Sie sind ein Kranker.«

Und er machte mit geschickten, leichten Händen seine gewohnte Arbeit und ging leichten Schrittes hinaus. Nach fünf Minuten kam er, ebenso leicht auftretend, wieder zurück. Iwan Iljitsch saß noch immer im Lehnstuhl.

»Gerasim«, sagte er, nachdem dieser den saubergewaschenen Nachtstuhl hingestellt hatte, »bitte, hilf mir, komm her.« Gerasim trat zu ihm. »Heb mich auf.

Allein fällt es mir schwer, und ich habe Dmitrij fortgeschickt.«

Gerasim trat zu Iwan Iljitsch; er umfaßte den Kranken mit starken Armen, genauso leicht, wie er ging, half ihm geschickt und zart auf, stützte ihn, zog mit der anderen Hand die Beinkleider in die Höhe und wollte ihn hinsetzen. Aber Iwan Iljitsch bat, auf das Sofa geführt zu werden. Gerasim führte ihn, beinahe tragend, ohne Anstrengung und ohne ihn zu drücken, zum Sofa und setzte ihn hin.

»Danke, mein Lieber. Wie geschickt und gut … du das alles machst.«

Gerasim lächelte wieder und wollte fortgehen. Aber Iwan Iljitsch fühlte sich so wohl in seiner Gegenwart, daß er ihn nicht weglassen wollte.

»Ja, noch eins: schieb mir, bitte, diesen Stuhl her. Nein, diesen da, unter die Beine. Es ist mir leichter, wenn meine Beine höher liegen.«

Gerasim brachte den Stuhl, stellte ihn geräuschlos und mit einem Mal gleichmäßig auf den Boden auf und hob Iwan Iljitschs Beine auf den Stuhl. Iwan Iljitsch hatte ein erleichterndes Gefühl, als Gerasim seine Beine hochhob.

»Mir ist besser, wenn meine Beine hoch liegen«, sagte er. »Schiebe mir doch auch das Kissen dort unter.«

Gerasim tat es; er hob die Beine wieder in die Höhe und legte das Kissen darunter. Iwan Iljitsch verspürte wieder eine Erleichterung, solange Gerasim seine

Beine hochhielt. Sobald er sie niederließ, schien ihm schlechter zu sein.

»Gerasim«, fragte er, »hast du jetzt etwas zu tun?«

»Durchaus nicht«, antwortete Gerasim, der bei den städtischen Dienstleuten gelernt hatte, wie man mit den Herrschaften sprechen mußte.

»Was hast du noch zu tun?«

»Was sollte ich denn noch tun? Ich habe alles getan, ich muß nur noch für morgen Holz hacken.«

»Dann halte mir doch die Beine so hoch ... Kannst du?«

»Warum nicht, das kann ich.«

Gerasim hob die Beine des Kranken noch höher, und es schien Iwan Iljitsch, daß er in dieser Stellung gar keinen Schmerz verspürte.

»Aber was wird nun mit dem Holz?«

»Bitte beunruhigen Sie sich nicht. Das kommt zurecht.«

Iwan Iljitsch befahl Gerasim, sich zu setzen und ihm die Beine zu halten, und plauderte mit ihm. Und sonderbar – er glaubte sich wohler zu fühlen, solange Gerasim seine Beine hielt.

Seit dieser Zeit ließ Iwan Iljitsch Gerasim manchmal zu sich kommen, veranlaßte ihn, seine Beine auf den Schultern zu halten und fand Vergnügen daran, sich mit ihm zu unterhalten. Gerasim machte alles gewandt, gern, schlicht und mit einer Güte, die Iwan Iljitsch rührte. Gesundheit, Kraft und Rüstigkeit bei allen anderen Menschen verletzten Iwan Iljitsch; nur

Gerasims Kraft und Rüstigkeit kränkte ihn nicht, sondern beruhigte ihn.
Iwan Iljitschs größte Qual war die Lüge – jene von allen anerkannte Lüge, daß er nur krank, aber nicht dem Tode nahe sei und daß er nur ruhig zu sein und sich behandeln zu lassen brauchte, um wieder ganz gesund zu werden. Er aber wußte es besser: was man auch tun mochte – es konnte kein anderes Ergebnis erreicht werden als noch größere Leiden und der Tod. Und diese Lüge quälte ihn; es quälte ihn daß niemand das eingestehen wollte, was alle wußten und was auch er wußte, daß sie ihn über seinen schrecklichen Zustand täuschen wollten und ihn selber veranlaßten, an dieser Lüge teilzunehmen. Die Lüge, die Lüge, diese am Vorabend seines Todes über ihn verhängte Lüge, die den furchtbaren, feierlichen Vorgang seines Todes auf die Stufe aller ihrer Besuche und Gardinen und des Störs zum Mittagessen erniedrigen mußte, war für Iwan Iljitsch furchtbar quälend. Und seltsam! Er war oft, wenn sie ihre Mätzchen vor ihm machten, nur noch auf Haaresbreite davon entfernt, ihnen zuzurufen: »Hört auf zu lügen! Ihr wißt es, und ich weiß es, daß ich sterbe, so hört wenigstens auf zu lügen!« Aber er fand niemals den Mut, das zu tun. Er sah, daß der schreckliche, furchtbare Vorgang seines Sterbens von allen, die ihn umgaben, auf die Stufe einer zufälligen Unannehmlichkeit erniedrigt, teilweise sogar als unziemlich angesehen wurde (in der Art, wie man einen Menschen behandelt, der in einen

Salon kommt und einen schlechten Geruch verbreitet), daß er durch denselben »Anstand« erniedrigt wurde, dem er sein ganzes Leben gedient hatte; er sah, daß niemand ihn bemitleiden würde, weil niemand seine Lage auch nur verstehen wollte; nur Gerasim erfaßte diese Lage und bemitleidete ihn. Und deshalb fühlte sich Iwan Iljitsch nur in Gerasims Gegenwart wohl. Es war ihm wohl, wenn Gerasim ihm ganze Nächte hindurch die Beine hielt, nicht schlafen gehen wollte und sagte: »Beunruhigen Sie sich nicht, Iwan Iljitsch, ich werde mich schon ausschlafen.« Oder wenn er plötzlich zum Du überging und hinzufügte: »Ja, wenn du nicht krank wärst, aber so – warum sollte ich dir da nicht dienen?« Gerasim war der einzige, der nicht log; man sah aus allem, daß nur er allein begriff, um was es ging, und es nicht für nötig hielt, das zu verbergen, und daß er seinen abgezehrten, schwachen Herrn einfach bemitleidete. Einmal sprach er das auch ganz offen aus, als Iwan Iljitsch ihn fortschickte.

»Wir werden alle sterben. Warum sollte ich mir denn keine Mühe machen?« bemerkte er und gab damit dem Gedanken Ausdruck, daß er sich durch diese Mühe nicht beschwert fühlte, weil er sie an einen Sterbenden verwendete und hoffte, daß sich dereinst auch für ihn jemand dieser Mühe unterziehen werde. Außer dieser Lüge oder infolge dieser Lüge empfand es Iwan Iljitsch als Seelenqual, daß niemand ihn so bemitleidete, wie er bemitleidet sein wollte: Er hegte in manchen Augenblicken, besonders nach einer langen Schmerzenszeit, den Wunsch (obwohl er sich geschämt hätte, das einzugestehen), daß ihn jemand tröste wie ein krankes Kind. Er wollte, daß man ihn liebkose, küsse, ein wenig über ihn weine, so wie man Kinder liebkost und tröstet. Er wußte, daß er eine wichtige Persönlichkeit war, daß sein Bart schon grau wurde und daß es aus diesem Grunde unmöglich war; aber trotzdem wünschte er es. Und in den Beziehungen zu Gerasim lag etwas, was diesem Wunsch nahe kam. Und deshalb war ihm Gerasim ein Trost. Iwan Iljitsch wollte weinen, wollte, daß man ihn liebkoste und um ihn weinte, und da kam sein Kollege Schebek, und statt zu weinen und liebkost zu werden, machte Iwan Iljitsch ein ernstes, strenges, tiefsinniges Gesicht und gab nach dem Gesetz der Trägheit seiner Meinung über die Bedeutung des Kassationsbeschlusses Ausdruck und bestand hartnäckig darauf. Diese Lüge um ihn herum und in ihm selber vergiftete Iwan Iljitschs letzte Lebenstage am allermeisten.

8

Es war Morgen. Für den Kranken nur deshalb Morgen, weil Gerasim gegangen und der Lakai Pjotr gekommen war, die Kerzen ausgelöscht, einen Vorhang aufgezogen hatte und leise aufzuräumen begann.
Ob es Morgen oder Abend war, Freitag oder Sonn-

tag – alles war gleich, es war stets ein und dasselbe: der nagende, nicht für einen Augenblick aussetzende qualvolle Schmerz; das Bewußtsein des hoffnungslos schwindenden, aber noch immer nicht entschwundenen Lebens; der immer näherkommende, furchtbare, verhaßte Tod, der allein Wirklichkeit war, und immer dieselbe Lüge. Was bedeuteten da Tage, Wochen, Stunden?

»Wünschen Sie vielleicht Tee?«

Er will Ordnung haben, die Herrschaften sollen des Morgens Tee trinken, dachte Iwan Iljitsch und sagte nur: »Nein.«

»Wünschen Sie nicht, sich lieber auf das Sofa zu legen?«

Er will das Zimmer in Ordnung bringen, und ich störe ihn, ich bin – die Unreinheit und Unordnung, dachte er und sagte nur: »Nein, laß mich.«

Der Diener machte sich noch etwas zu schaffen. Iwan Iljitsch streckte die Hand aus. Pjotr trat dienstwillig heran.

»Was wünschen Sie?«

»Die Uhr.«

Pjotr nahm die Uhr, die handgerecht dalag, und reichte sie ihm.

»Halb neun. Ist dort noch niemand aufgestanden?«

»Noch nicht. Wladimir Iwanowitsch« – das war der Sohn – »ist ins Gymnasium gegangen, und Praskowja Fjodorowna hat befohlen, sie zu wecken, wenn Sie nach ihr verlangen. Wünschen Sie es?«

»Nein, es ist nicht nötig.« Sollte ich versuchen, Tee zu trinken? dachte er. »Ja, bring mir … Tee.«
Pjotr ging zur Tür. Iwan Iljitsch wurde plötzlich bange, er fürchtete, allein zu bleiben. Wie könnte ich ihn zurückhalten? Ja, die Arznei.
»Pjotr, reiche mir die Arznei.« Wer weiß, vielleicht hilft sie doch noch? Er nahm einen Löffel voll ein. Nein, sie wird nicht helfen. Das ist alles Unsinn, Betrug, entschied er, sobald er den bekannten, widerlich-süßen und hoffnungslosen Geschmack verspürte. Nein, ich kann nicht mehr daran glauben. Aber weshalb, weshalb ist der Schmerz da? Wenn er doch nur eine Minute aufhörte! Und er stöhnte auf. Pjotr kehrte um.
»Nein, geh. Bringe den Tee.«
Pjotr ging. Nachdem Iwan Iljitsch allein geblieben war, stöhnte er wieder: weniger vor Schmerzen, so entsetzlich sie auch waren, als vor Seelenangst. Immer ein und dasselbe, in all diesen endlosen Tagen und Nächten. Wenn es doch schneller ginge. Was schneller? Der Tod, das Dunkel … Nein, nein. Alles ist besser als der Tod!
Als Pjotr den Tee auf dem Tablett brachte, sah ihn Iwan Iljitsch lange zerstreut an, ohne zu begreifen, wer er war und was er wollte. Pjotr wurde durch diesen Blick verwirrt. Und diese Verwirrung brachte Iwan Iljitsch zu sich.
»Ja«, sagte er, »der Tee … Gut, stell ihn hin. Hilf mir nur beim Waschen und gib mir ein reines Hemd.«

Und Iwan Iljitsch fing an, sich zu waschen. Er wusch langsam Gesicht und Hände, putzte die Zähne, kämmte sich und schaute in den Spiegel. Der Anblick war unheimlich, besonders schrecklich war es zu sehen, wie flach sich die Haare an die blasse Stirn schmiegten.

Er wußte, daß es noch schrecklicher sein würde, beim Wechseln des Hemdes seinen Körper zu sehen, und er schaute nicht hin. Aber endlich war alles fertig. Er zog den Schlafrock an, bedeckte sich mit dem *Plaid* und setzte sich zum Teetrinken in den Lehnstuhl. Einen Augenblick lang fühlte er sich erfrischt, aber sobald er anfing, Tee zu trinken, war der Geschmack im Mund und der Schmerz wieder da. Er zwang sich, den Tee auszutrinken, legte sich dann mit ausgestreckten Beinen hin und entließ Pjotr.

Es war immer dasselbe. Bald blitzte ein Schimmer von Hoffnung auf, dann brauste wieder ein Meer von Verzweiflung heran, und immer der Schmerz, immer der Schmerz, immer dieselbe Seelenpein, immer ein und dasselbe. Es war so furchtbar traurig, allein zu sein, er hatte das Verlangen, jemanden zu sich zu rufen, aber er wußte im voraus, daß es in Gegenwart anderer noch schlechter sein werde. »Wenn man mir doch wieder Morphium gäbe – Vergessenheit für eine Weile. Ich werde dem Arzt sagen, daß er sich noch etwas ausdenken möge. So ist es unmöglich, unmöglich.«

So vergingen ein, zwei Stunden. Da ertönte die Klingel im Vorzimmer. Ob es der Arzt war? Es war wirklich der Arzt, ein frischer, rüstiger, feister, lustiger Mann mit einem Ausdruck wie: Sie sind wegen irgend etwas erschrocken, aber wir werden es gleich in Ordnung bringen. Der Arzt wußte, daß dieser Ausdruck hier nicht am Platz war, aber er hatte ihn ein für allemal angenommen und konnte ihn nicht ablegen – wie ein Mensch, der am Morgen den Frack anzieht und den ganzen Tag Besuche macht.

Der Arzt rieb sich herzhaft und begütigend die Hände.

»Ich bin kalt, es ist ein tüchtiger Frost draußen. Lassen Sie mich erst warm werden«, sagte er mit einer Miene, als brauchte man nur ein wenig zu warten, daß er sich erwärmte – dann würde er schon alles in Ordnung bringen.

»Nun, wie geht's?«

Iwan Iljitsch fühlte, daß der Arzt fragen wollte: »Nun, wie stehen die Aktien?«, daß aber auch er empfand, daß er hier nicht so sprechen dürfte, und deshalb fragte: »Wie haben Sie die Nacht verbracht?«

Iwan Iljitsch schaute den Arzt mit einem Ausdruck an, der zu fragen schien: Wirst du dich denn wirklich niemals schämen, zu lügen? Aber der Arzt wollte diese Frage nicht verstehen.

Und Iwan Iljitsch sagte: »Genauso entsetzlich. Der Schmerz vergeht nicht, gibt nicht nach. Wenn es doch irgend etwas gäbe!«

»Ja, so sind die Kranken immer. Nun, jetzt bin ich,

glaube ich, warm geworden; sogar die so peinliche Praskowja Fjodorowna hätte nichts gegen meine Temperatur einzuwenden. Nun, scien Sie mir gegrüßt.«

Und der Arzt drückte ihm die Hand.

Er ließ sein bisheriges spielerisches Wesen beiseite und begann mit ernster Miene den Kranken zu untersuchen, fühlte den Puls, maß die Temperatur, klopfte und horchte ihn ab.

Iwan Iljitsch weiß bestimmt und zweifellos, daß das alles Unsinn und leerer Betrug ist; als sich jedoch der Arzt neben ihn auf das Sofa kniet und sich über ihn hinreckt, das Ohr bald weiter oben, bald unten anlegt und mit bedeutungsvoller Miene die verschiedensten gymnastischen Evolutionen vollbringt, ergibt sich Iwan Iljitsch in dies alles, wie er sich früher in die Reden der Rechtsanwälte ergeben hatte, obwohl er ganz genau wußte, daß alles, was sie vorbrachten, erlogen war und warum sie logen. Der Arzt kniete noch immer auf dem Sofa und beklopfte irgendeine Stelle, als sich das Rauschen von Praskowja Fjodorownas Seidenkleid in der Türe vernehmen ließ; sie machte Pjotr Vorwürfe, weil er ihr die Ankunft des Arztes nicht gemeldet hatte. Sie trat ein, küßte ihren Mann und begann sofort, ihm zu beweisen, daß sie schon vor langer Zeit aufgestanden und nur wegen eines Mißverständnisses nicht zugegen gewesen sei, als der Arzt ankam. Iwan Iljitsch schaute sie an, betrachtete sie und machte es ihr innerlich zum Vorwurf, daß sie so weiß und so rundlich, daß ihre Hände und ihr Hals so rein waren, daß ihre Haare glänzten und ihre Augen vor Lebenslust leuchteten. Er haßte sie mit der ganzen Kraft seiner Seele. Und ihre Berührung verursachte ihm Schmerzen infolge des Andrangs von Haß gegen sie.

Ihr Verhältnis zu ihm und seiner Krankheit war noch immer dasselbe. So wie der Arzt sich ein Verhältnis zu seinen Kranken ausgearbeitet hatte, das er nie mehr ändern konnte, so hatte auch sie sich eine feststehende Meinung über seine Krankheit geschaffen – daß er nicht das tue, was nötig war, und selber an allem schuld sei, und sie ihm deshalb liebevolle Vorwürfe mache; sie konnte dieses Verhältnis zu ihm nicht mehr ändern.

»Er folgt ja nicht, nimmt die Arznei nicht zur Zeit ein; vor allem aber, er liegt in einer Stellung da, die ihm bestimmt schadet – mit den Beinen nach oben …«

Sie erzählte, wie er Gerasim veranlasse, ihm die Beine zu halten.

Der Arzt lächelte nachsichtig und freundlich: »Was ist da zu machen, die Kranken denken sich manchmal solche Dummheiten aus; aber das kann man verzeihen.«

Nachdem die Untersuchung beendet war, blickte der Arzt auf die Uhr – und da teilte Praskowja Fjodorowna Iwan Iljitsch mit, er möge machen, was er wolle, aber sie hätte einen berühmten Arzt gebeten, heute herzukommen, und der würde ihn zusammen mit Michail Danilowitsch (so hieß der gewöhnliche Arzt) untersuchen und die Sachlage beurteilen.

»Bitte, widersetze dich dem nicht. Ich mache es für mich«, sagte sie ironisch und gab ihm zu spüren, daß sie alles für ihn tue, ihm aber dadurch das Recht nehme, es ihr abzuschlagen. Er schwieg und runzelte die Stirn. Er fühlte, daß die Lüge, die ihn umgab, so verwirrend war, daß es schwer fiel, noch irgend etwas zu unterscheiden.

Sie tat alles, was sie für ihn tat, in Wahrheit nur für sich selber, aber wenn sie ihm sagte, daß sie es für sich tue, stellte sie ihm das als eine unwahrscheinliche Sache hin, daß er es unbedingt im entgegengesetzten Sinn verstehen mußte.

Um halb zwölf kam wirklich der berühmte Arzt. Wieder begannen die Untersuchungen und die bedeutungsvollen Gespräche über die Nieren und den Blinddarm; erst in seiner Gegenwart, dann im anderen Zimmer; dann die Fragen und Antworten, die von so wichtigen Mienen begleitet waren, daß statt der sachlichen Frage über Leben und Tod, die jetzt einzig und allein vor ihm stand, wieder eine andere Frage in den Vordergrund trat: die Frage über die Niere und den Blinddarm, die irgend etwas nicht so ausführten, wie es nötig war, und über die Michail Danilowitsch und die Berühmtheit aus diesem Grunde herfallen und sie veranlassen würden, sich zu bessern.

Der berühmte Arzt verabschiedete sich mit ernster,

aber nicht hoffnungsloser Miene. Auf die zaghafte Frage, die Iwan Iljitsch mit ängstlich und hoffnungsvoll glänzenden Augen an ihn richtete, ob eine Genesung möglich sei, antwortete er, daß man nicht dafür einstehen könne, die Möglichkeit aber vorhanden sei. Der von Hoffnung erfüllte Blick, mit dem Iwan Iljitsch dem Arzt nachschaute, war so mitleiderregend, daß Praskowja Fjodorowna, die ihn bemerkte, sogar zu weinen begann, als sie den berühmten Arzt zur Tür hinausbegleitete, um ihm das Honorar zu übergeben.

Die durch die Vertröstung des Arztes hervorgerufene seelische Aufmunterung hielt nicht lange an. Wieder war es dasselbe Zimmer, dieselben Bilder, Vorhänge, Tapeten, Fläschchen und derselbe schmerzende, leidende Körper. Und Iwan Iljitsch begann zu stöhnen; man machte ihm eine Einspritzung, und er verfiel in einen Dämmerzustand. Als er zu sich kam, dunkelte es bereits. Man brachte ihm sein Mittagessen. Voller Überwindung nahm er ein wenig Fleischbrühe zu sich; und dann war es wieder dasselbe, wieder brach die Nacht herein.

Nach Tisch, gegen sieben Uhr, kam Praskowja Fjodorowna in sein Zimmer; sie war wie für eine Gesellschaft gekleidet, mit vollem, nach oben geschnürtem Busen und Spuren von Puder auf den Wangen. Sie hatte ihn schon am Morgen an den beabsichtigten Theaterbesuch erinnert. Sarah Bernhardt war zu einem Gastspiel da, und er hatte selber darauf bestanden, daß sie sich eine Loge nahmen. Jetzt hatte er es vergessen, und ihr Staat verletzte ihn. Aber er verbarg sein Gefühl, als es ihm einfiel, daß er selber darauf bestanden hatte, daß sie sich eine Loge nehmen und hingehen sollten, weil es für die Kinder einen erzieherischen und ästhetischen Genuß bedeutete.

Praskowja Fjodorowna trat, mit sich selber zufrieden, aber gleichsam schuldbewußt, ins Zimmer. Sie nahm Platz und fragte nach seinem Befinden; sie tat das, wie er wohl bemerkte, nur deshalb, um etwas zu fragen, aber nicht, um es zu erfahren, da sie selber wußte, daß nichts zu erfahren war, und begann endlich von dem Zweck ihres Kommens zu sprechen: daß sie auf keinen Fall ins Theater fahren würde, wenn die Loge nicht schon genommen wäre; Jelena und die Tochter, und Petristschew, der Untersuchungsrichter und Bräutigam der Tochter, würden hingehen, und es sei unmöglich, sie allein zu lassen. Ihr aber wäre es soviel angenehmer gewesen, bei ihm zu bleiben. Er solle in ihrer Abwesenheit die Vorschriften des Arztes nur genau befolgen.

»Ja, Fjodor Dmitrijewitsch« – der Bräutigam – »wollte zu dir hereinkommen. Darf er? Und Lisa auch.«

»Laß sie herein!«

Die Tochter kam in vollem Staat herein, den jungen Körper entblößt. Während sein Körper ihn so leiden machte, stellte sie den ihren zur Schau. Sie war kräftig, gesund, offenbar verliebt und unwillig über seine Krankheit, sein Leiden und Sterben, die ihr Glück beeinträchtigten.

Auch Fjodor Dmitrijewitsch kam herein, im Frack, mit gebrannten Locken *à la Capoul*, mit seinem langen, sehnigen Hals, den der weiße Kragen eng umschloß, und einer mächtigen weißen Hemdbrust; die starken Schenkel wurden von engen schwarzen Beinkleidern umspannt, die eine Hand war mit einem weißen Handschuh bekleidet und hielt den *Claque*.

Hinter ihm kam unbemerkt der Gymnasiast, das arme Bürschlein, in einer neuen Uniform hereingeschlichen, mit Handschuhen und furchtbaren blauen Ringen unter den Augen, deren Bedeutung Iwan Iljitsch bekannt war.

Der Sohn tat ihm immer leid. Und sein erschrockener, bemitleidender Blick war schrecklich. Es schien Iwan Iljitsch, daß außer Gerasim nur Wolodja ihn verstehe und Mitleid mit ihm habe.

Alle setzten sich, fragten wieder nach seinem Befinden. Dann trat Schweigen ein. Lisa fragte die Mutter nach dem Opernglas. Es entstand ein Streit zwischen Mutter und Tochter, wer es verlegt hätte. Das war unangenehm.

Fjodor Dmitrijewitsch fragte Iwan Iljitsch, ob er die Sarah Bernhardt gesehen habe. Iwan Iljitsch verstand nicht sofort, wonach man ihn fragte, sagte aber dann: »Nein, haben Sie sie schon gesehen?«

»Ja, in *Adrienne Lecouvreur*.«

Praskowja Fjodorowna bemerkte, daß sie in einem anderen Stück besonders gut sei. Die Tochter widersprach. Es entwickelte sich ein Gespräch über die Vortrefflichkeit und die Natürlichkeit ihres Spiels – jenes Gespräch, das immer dasselbe ist.

Mitten im Gespräch blickte Fjodor Dmitrijewitsch Iwan Iljitsch an und verstummte. Die anderen blickten ihn auch an und verstummten gleichfalls. Iwan Iljitsch schaute mit glänzenden Augen vor sich hin und war anscheinend ungehalten über sie. Man mußte das wieder gutmachen, aber es war kaum möglich. Man mußte dieses Schweigen irgendwie unterbrechen. Niemand konnte sich dazu entschließen, und alle befürchteten, daß diese ständige Lüge plötzlich zerstört werden könnte und alle klar erkennen müßten, was wirklich war. Lisa entschloß sich zuerst dazu. Sie unterbrach das Schweigen. Sie wollte das, was alle empfanden, verbergen, aber sie verriet sich.

»Übrigens, *wenn wir überhaupt fahren wollen*, so ist es Zeit«, sagte sie und warf einen Blick auf ihre Uhr, ein Geschenk des Vaters; dann schaute sie den jungen Mann mit einem kaum merklichen, bedeutungsvollen Lächeln an und stand auf, wobei ihre Röcke raschelten.

Alle erhoben sich, nahmen Abschied und fuhren fort.

Nachdem sie gegangen waren, schien Iwan Iljitsch eine Erleichterung zu empfinden: die Lüge war nicht mehr da – sie war mit ihnen fortgegangen, aber

die Schmerzen waren geblieben. Stets der gleiche Schmerz, stets dieselbe Angst brachten es mit sich, daß es für ihn kein »schwerer« oder »leichter« mehr gab; es wurde immer schlechter.
Wieder verstrich eine Minute nach der anderen, eine Stunde nach der anderen, es war immer dasselbe, noch immer kam das Ende nicht, und immer furchtbarer wurde dieses unentrinnbare Ende.
»Ja, schicken Sie mir Gerasim«, antwortete er auf Pjotrs Frage.

9

Praskowja Fjodorowna kam spät in der Nacht nach Hause. Sie trat auf den Zehenspitzen ins Krankenzimmer, aber Iwan Iljitsch hörte sie: Er öffnete die Augen und schloß sie schnell wieder. Sie wollte Gerasim fortschicken und selber bei ihm bleiben. Er öffnete die Augen und sagte: »Nein, geh!«
»Leidest du sehr?«
»Es ist immer dasselbe.«
»Nimm doch Opium.«
Er war einverstanden und nahm die Tropfen. Sie ging fort.
Bis drei Uhr lag er in einem qualvollen Halbschlaf. Es schien ihm, als stecke man ihn mitsamt seinen Schmerzen immer tiefer in einen engen, tiefen schwarzen Sack und könne ihn doch nicht hinein-

zwängen. Und dieses für ihn so furchtbare Geschehnis vollzog sich unter schweren Leiden. Er fürchtete sich, wollte sich selbst in den Sack fallen lassen und rang und half nach. Plötzlich riß er sich los, fiel und – erwachte. Gerasim saß noch immer zu seinen Füßen auf dem Bett, ruhig, geduldig, dem Einschlafen nahe. Er aber lag da und hielt die abgemagerten, bestrumpften Beine auf Gerasims Schultern; und immer noch brannte die Kerze hinter dem Schirm, und der unaufhörliche Schmerz war immer noch da.

»Geh fort, Gerasim«, flüsterte er.

»Macht nichts, ich kann noch sitzen.«

»Nein, geh!«

Er nahm die Beine herunter, legte sich seitwärts auf den Arm und fühlte ein tiefes Mitleid mit sich selber. Er wartete nur noch, bis Gerasim ins Nebenzimmer gegangen war; dann hielt er nicht länger an sich und fing an zu weinen wie ein Kind. Er weinte über seine Hilflosigkeit, über seine furchtbare Einsamkeit, über die Grausamkeit der Menschen, über die Grausamkeit Gottes, der ihn verlassen hatte.

»Warum hast du das alles gemacht? Warum hast du mich so weit gebracht? Wofür, weshalb quälst du mich so entsetzlich?«

Er erwartete gar keine Antwort und weinte, weil er keine Antwort erhielt und keine erhalten konnte. Die Schmerzen setzten wieder ein, aber er rührte sich nicht, rief niemanden herbei. Er sagte sich: Nur zu,

nur zu, noch stärker! Aber warum? Was habe ich dir getan, warum?
Dann wurde er ruhig, hörte nicht nur auf zu weinen, sondern auch zu atmen und wurde ganz aufmerksam: Er lauschte einer Stimme, die nicht in Lauten sprach, einer Stimme der Seele, einem neuen Gedankengang, der in ihm lebendig wurde.
»Was willst du?« war der erste klare Begriff, den er vernahm und der sich mit Worten ausdrücken ließ.
»Was willst du? Was willst du?« wiederholte er sich.
»Was? – Ich will nicht leiden. Ich will leben«, antwortete er.
Und wieder gab er sich einer angespannten Aufmerksamkeit hin, die ihn sogar von seinen Schmerzen ablenkte.
»Leben? Wie leben?« fragte die innere Stimme.
»Ja, leben, so wie ich früher lebte: gut, angenehm.«
»So gut und angenehm, wie du früher gelebt hast?« fragte die Stimme. Und er ließ die schönsten Augenblicke seines angenehmen Lebens in seiner Vorstellung erstehen: aber – seltsam – alle diese schönsten Augenblicke seines angenehmen Lebens erschienen ihm jetzt als etwas ganz anderes als damals. Alle – außer den ersten Erinnerungen aus seiner Kindheit. Dort, in der Kindheit, gab es etwas wirklich Angenehmes, das dem Leben Reiz verliehen hätte, wenn es zurückgekehrt wäre. Aber der Mensch, der dieses Angenehme empfunden hatte, war nicht mehr vorhanden: die Erinnerung knüpfte sich gleichsam an einen anderen.

Sobald aber *das* auftauchte, dessen Ergebnis der Iwan Iljitsch von heute war, schwanden alle früheren scheinbaren Freuden vor seinen Augen dahin und verwandelten sich in etwas Nichtiges, oft sogar Häßliches. Und je weiter er sich von der Kindheit entfernte, je näher er der Gegenwart kam, um so nichtiger und zweifelhafter wurden die Freuden. Das fing mit der Rechtsschule an. Dort war aber wenigstens noch etwas wahrhaft Gutes: dort war Frohsinn, Freundschaft, dort waren Hoffnungen. In den höheren Klassen wurden diese guten Augenblicke schon seltener. Dann, in der ersten Zeit seines Dienstes beim Gouverneur gab es wieder einige schöne Augenblicke: die Erinnerungen an die Liebe zum Weib. Dann verwirrte sich alles, und das Gute wurde noch seltener. Je weiter vorwärts – desto weniger Gutes, und so immer fort.

Die Heirat ... die so zufällig gekommen, die Enttäuschung, der Mundgeruch seiner Frau, die Sinnlichkeit, die Heuchelei. Und dieser tote Dienst, diese Sorgen ums Geld, und so ein Jahr und zwei und zehn und zwanzig Jahre – immer ein und dasselbe. Und je weiter, desto tötender. Als wäre ich gleichmäßig in der Einbildung, ich ginge bergauf, bergab gegangen. So war es auch. In der gesellschaftlichen Meinung ging ich bergauf, und im gleichen Schritt schwand das Leben dahin ... Und nun ist's zu Ende ... nun stirb!

Was ist es also? Warum? Es kann nicht sein! Es kann nicht sein, daß mein Leben so sinnlos, so häßlich war. Aber wenn es wirklich so häßlich und sinnlos gewesen ist, warum dann sterben, und unter solchen Leiden sterben? Irgend etwas stimmt da nicht.

Vielleicht habe ich nicht so gelebt, wie ich mußte? fuhr es ihm plötzlich durch den Sinn. Aber wie denn – nicht *so*, da ich doch alles tat, wie es sich gehörte? sagte er sich und verscheuchte diese einzige Lösung des ganzen Rätsels von Leben und Tod wie etwas völlig Unmögliches.

Was willst du denn jetzt? Leben? Wie leben? Leben, wie man im Gerichtssaal lebt, wenn der Gerichtsdiener verkündet: ›Das Gericht kommt‹? Das Gericht kommt, das Gericht kommt, wiederholte er sich. »Da ist das Gericht. Ich bin doch unschuldig!« rief er wütend. »Wofür?« Und er hörte auf zu weinen, drehte sich mit dem Gesicht zur Wand und dachte immer nur ein und dasselbe: Warum, weshalb ist alles dieses Furchtbare gekommen?

Aber so sehr er auch darüber grübelte, er fand keine Antwort. Und wenn ihm dann wie so häufig der Gedanke kam, daß es deshalb geschehe, weil er nicht richtig gelebt hatte, rief er sich sofort die ganze Korrektheit seines Lebens ins Gedächtnis und verjagte diesen seltsamen Gedanken.

10

So vergingen zwei weitere Wochen. Iwan Iljitsch stand nicht mehr vom Sofa auf. Er wollte nicht im

Bett liegen und lag auf dem Sofa. Er lag fast die ganze Zeit mit dem Gesicht zur Wand gekehrt, litt einsam immer dieselben unlösbaren Qualen und grübelte einsam über immer denselben unlösbaren Gedanken. »Was ist das? Ist es wirklich wahr, daß der Tod kommt?« Und die innere Stimme antwortete: »Ja, es ist wahr.« – »Warum diese Qualen?«

Und die innere Stimme antwortete: »Sie sind nun einmal da, wegen nichts und wieder nichts.« Und das war alles.

Seit dem Beginn der Krankheit, seit jener Zeit, da Iwan Iljitsch zum ersten Mal zum Arzt gefahren, war sein Leben zwei entgegengesetzten Stimmungen unterworfen, die einander ablösten: bald war es die Verzweiflung und die Erwartung des unbegreiflichen und furchtbaren Todes, bald war es Hoffnung und die fesselnde Beobachtung der Funktionen seines Körpers; einmal stand ihm nur die Niere oder der Darm vor Augen, die sich für eine Zeitlang der Ausübung ihrer Pflichten entzogen hatten, dann war es wieder allein der unfaßbare, schreckliche Tod, dem man in keiner Weise entgehen konnte. Diese zwei Stimmungen lösten einander seit Beginn der Krankheit ab; aber je weiter diese voranschritt, um so zweifelhafter und phantastischer wurden die Erwägungen über die Niere, um so greifbarer wurde die Erkenntnis des herannahenden Todes.

Iwan Iljitsch brauchte nur daran zu denken, wie er noch vor drei Monaten gewesen war und wie es jetzt in gleichmäßigem Schritt mit ihm bergab ging, um jegliche Möglichkeit einer Hoffnung schwinden zu sehen.

In der letzten Zeit jener Vereinsamung, in der er sich befand, wenn er, das Gesicht zur Sofalehne gewandt, dalag, jener Vereinsamung inmitten der belebten Stadt, inmitten seiner zahlreichen Bekannten und seiner Familie, der Vereinsamung, die nirgends vollständiger sein konnte, weder auf dem Meeresgrunde noch auf Erden – in der letzten Zeit dieser furchtbaren Vereinsamung lebte Iwan Iljitsch einzig und allein in der Vergangenheit. Ein Bild aus seiner Vergangenheit nach dem anderen zog an ihm vorüber. Es begann immer mit dem zeitlich Nächstliegenden und ging dann bis zum Entferntesten zurück, bis zu seiner Kindheit – und blieb dort haften. Wenn Iwan Iljitsch an die gekochten, getrockneten Pflaumen dachte, die man ihm heute gegeben hatte, dachte er an die rohen, runzligen, getrockneten Pflaumen seiner Kindheit, an den ihnen eigenen Geschmack und die Fülle von Speichel, der sich im Munde ansammelte, wenn man bis zum Kern gekommen war, und zusammen mit der Erinnerung an diesen Geschmack tauchte eine ganze Reihe von Erinnerungen aus jener Zeit auf: die Kinderfrau, der Bruder, die Spielsachen.

»Nicht daran denken … es tut zu weh«, sagte Iwan Iljitsch sich und kehrte wieder in die Gegenwart zurück. Da waren Knöpfe in der Sofalehne und Falten

im Saffianleder. »Der Saffian ist teuer, unpraktisch; es hatte seinetwegen einen Streit gegeben. Aber da war ein anderer Saffian und ein anderer Streit, als wir Vaters Brieftasche zerrissen hatten und bestraft wurden und Mama uns Kuchen brachte.« Und wieder verweilten die Gedanken in der Kindheit, wieder wurde Iwan Iljitsch weh ums Herz, und er versuchte die Erinnerungen zu verscheuchen und an andere Dinge zu denken.
Und wiederum gingen andere Erinnerungen mit diesen Hand in Hand. Die Erinnerungen daran, wie seine Krankheit sich verschlimmert hatte. Es war wieder dasselbe: je weiter zurück, um so mehr Leben. Auch mehr Gutes im Leben – und mehr Leben an und für sich. Und beides floß ineinander. So wie die Qualen immer schlimmer und schlimmer werden, so wurde auch das Leben immer schlimmer und schlimmer, dachte er. Ein einziger heller Punkt leuchtete dort in der Ferne, am Anfang des Lebens, dann wurde es immer finsterer und finsterer, und es ging immer schneller und schneller. Im umgekehrten Verhältnis zum Quadrat der Entfernung vom Tod! dachte Iwan Iljitsch. Und diese Vorstellung eines Steins, der mit immer größerer Geschwindigkeit in die Tiefe fliegt, blieb in seiner Seele haften. Das Leben, die Reihe der immer größer werdenden Leiden, flog immer schneller und schneller dem Ende entgegen, dem schrecklichsten aller Leiden.
»Ich fliege ...« Er schrak zusammen, bewegte sich,

wollte sich widersetzen; aber er wußte bereits, daß er sich nicht zu widersetzen vermochte, und blickte wieder mit Augen, die vom Leben ermüdet waren und dennoch auf das sehen mußten, was vor ihnen lag, auf die Sofalehne und wartete, wartete auf diesen schrecklichen Fall, den Stoß und die Vernichtung.

Ich kann mich nicht widersetzen, sagte er sich. Wenn ich wenigstens verstehen könnte, warum das so ist. Aber auch das kann ich nicht. Es ließe sich erklären, wenn ich zugäbe, daß ich nicht so gelebt habe, wie es sein mußte. Aber es ist unmöglich, das zu gestehen, sagte er sich selber und gedachte der ganzen Gesetzlichkeit, Korrektheit und Anständigkeit seines Lebens. Es ist unmöglich, das zuzulassen. Und er lächelte nur mit den Lippen, als ob irgend jemand dieses Lächeln sehen und dadurch irregeführt werden könnte. Es gibt keine Erklärung! Qual und Tod ... Warum?

11

So vergingen zwei Wochen. In diesen Wochen trat das von Iwan Iljitsch und seiner Frau so sehr gewünschte Ereignis ein: Petristschew hielt in aller Form um die Hand der Tochter an. Das geschah am Abend. Am anderen Morgen ging Praskowja Fjodorowna zu ihrem Mann und überlegte, wie sie ihm die Nachricht von Fjodor Dmitrijewitschs Antrag übermitteln sollte; in derselben Nacht hatte nämlich Iwan Iljitschs Zustand eine neue Verschlimmerung erfahren. Praskowja Fjodorowna traf ihn auf dem nämlichen Sofa, aber in einer anderen Stellung an. Er lag auf dem Rücken, stöhnte und sah mit starrem Blick vor sich hin.

Sie fing an, von Arzneien zu sprechen. Er richtete den Blick auf sie. Da sprach sie das, wovon sie begonnen hatte, nicht zu Ende: eine solche Feindseligkeit lag in diesem Blick.

»Um Christi willen, laß mich ruhig sterben«, sagte er.

Sie wollte fortgehen; in diesem Augenblick kam aber die Tochter ins Zimmer und ging auf den Vater zu, um ihn zu begrüßen. Er sah die Tochter genauso an wie die Frau und antwortete auf ihre Fragen nach seinem Befinden kalt und feindselig, daß er sie bald alle von seiner Person befreien werde. Beide Frauen verstummten, blieben ein Weilchen bei ihm sitzen und gingen fort.

»Was haben wir denn verbrochen?« sagte Lisa zur Mutter. »Als ob wir schuld daran wären! Papa tut mir leid, aber weshalb quält er uns?«

Der Arzt erschien zur gewohnten Zeit. Iwan Iljitsch antwortete ihm: »Ja, nein«, ohne seinen zornigen Blick von ihm zu wenden, und sagte schließlich: »Sie wissen doch, daß Sie mir nicht helfen können, so lassen Sie mich in Ruhe.«

»Wir können die Leiden lindern«, antwortete der Doktor.

»Auch das können Sie nicht; lassen Sie mich.«
Der Arzt begab sich in den Salon und teilte Praskowja Fjodorowna mit, daß es sehr schlecht stehe und Opium das einzige Mittel sei, um die Leiden zu erleichtern, die entsetzlich sein müßten. Der Arzt sagte, daß die körperlichen Leiden furchtbar seien, und sagte damit die Wahrheit; aber noch schrecklicher als die körperlichen waren die seelischen Leiden; in ihnen lag die hauptsächlichste Qual.
Iwan Iljitschs seelische Leiden bestanden darin, daß ihm in dieser Nacht, beim Anblick von Gerasims verschlafenem, gutmütigem Gesicht mit den vorstehenden Backenknochen, plötzlich der Gedanke in den Sinn gekommen war: Wie aber, wenn mein ganzes Leben, mein bewußtes Leben wirklich nicht richtig war? Es kam ihm in den Sinn, daß das, was ihm früher völlig unmöglich erschienen war, nämlich, sein Leben nicht so gelebt zu haben, wie es sein mußte – wahr sein konnte. Es kam ihm in den Sinn, daß jener kaum merkliche Hang zur Auflehnung gegen das, was die höchstgestellten Persönlichkeiten als gut anerkannten, diese kaum merklichen Anfechtungen, die er stets sofort von sich gewiesen, das Wahre gewesen sein mochte, alles übrige aber nicht das Rechte. Sowohl sein Dienst als auch der Aufbau seines Lebens, seine Familie und diese gesellschaftlichen und dienstlichen Interessen, all das konnte nicht das Richtige gewesen sein. Er versuchte, es vor sich selber zu verteidigen, und empfand plötzlich die ganze Hinfällig-

keit dessen, was er verteidigte. Und es war nichts da, was einer Verteidigung wert gewesen wäre.
Aber wenn dem so ist, sagte er sich, wenn ich aus dem Leben gehe mit der Erkenntnis, daß ich alles vernichtet habe, was mir gegeben war, und ich es nicht gutmachen kann, was dann? Er hatte sich auf den Rücken gelegt und angefangen, sein ganzes Leben auf eine ganz neue Weise zu überdenken. Als er dann am Morgen den Diener erblickte und später die Frau, die Tochter und den Arzt, bestätigte ihm jede ihrer Bewegungen, jedes ihrer Worte die furchtbare Wahrheit, die sich ihm in der Nacht offenbart hatte. Er sah sich selber in ihnen, sah alles, was für ihn der Inhalt des Lebens gewesen, und sah deutlich, daß es nicht das Rechte, daß es nichts anderes als ein furchtbarer, riesengroßer Betrug war, der sowohl das Leben als auch den Tod verbarg. Diese Erkenntnis vermehrte, verzehnfachte seine körperlichen Leiden. Er stöhnte, warf sich hin und her und zerrte an seinen Kleidern, die ihn zu ersticken und zu bedrücken schienen. Und er haßte sie dafür.
Man gab ihm eine große Dosis Opium, und er fiel in einen Dämmerzustand. Aber um die Mittagszeit begann es wieder. Er wollte niemanden sehen und warf sich von einer Seite auf die andere.
Die Frau kam zu ihm und sagte: »Jean, mein Liebling, tu das für mich. Es kann nicht schaden, aber es hilft oft. Es hat ja nichts auf sich. Auch die Gesunden gehen oft ...«

Er öffnete die Augen weit.

»Was? Mich versehen lassen? Warum? Es ist nicht nötig. Aber übrigens …«

Sie fing an zu weinen.

»Ja, mein Freund? Ich werde unseren Geistlichen herbitten, er ist so gut.«

»Sehr gut, sehr gut«, sagte er.

Als der Geistliche kam und ihm die Beichte abgenommen hatte, wurde er milder gestimmt, fühlte gleichsam eine Erleichterung von den Zweifelsqualen und infolgedessen auch von seinen Leiden, und ein Augenblick der Hoffnung überkam ihn. Er fing wieder an, an den Blinddarm und an die Möglichkeit einer Heilung zu denken. Er empfing die Kommunion mit Tränen in den Augen.

Als man ihn nach der Kommunion bettete, fühlte er sich einen Augenblick erleichtert, und die Hoffnung erwachte noch einmal. Er dachte an die Operation, die man ihm vorgeschlagen hatte. Ich will leben, leben, sagte er sich. Seine Frau kam, um ihn zu beglückwünschen; sie sagte die üblichen Worte und fügte hinzu: »Nicht wahr, dir ist jetzt besser?«

Er sah sie nicht an und sagte: »Ja.«

Ihre Kleidung, ihre Gestalt, der Ausdruck ihres Gesichts, der Klang ihrer Stimme – alles sagte ihm nur das eine: Dein Leben war und ist nicht das Richtige, alles ist Lüge, Betrug, der das Leben und den Tod vor dir verbirgt. Und kaum hatte er das gedacht, erstand der Haß von neuem, und gleichzeitig mit dem Haß begannen die qualvollen körperlichen Leiden und mit den Leiden das Bewußtsein des unentrinnbaren nahen Verderbens. Etwas Neues kam hinzu: er fühlte ein Bohren und Reißen, das ihm den Atem nahm. Der Ausdruck seines Gesichts, als er »ja« sagte, war furchtbar. Nachdem er dieses »ja« ausgesprochen hatte, sah er ihr gerade ins Gesicht, drehte sich dann mit einer für seine Schwäche außergewöhnlichen Geschwindigkeit auf die Seite und schrie: »Geht fort, geht fort, laßt mich!«

12

Von diesem Augenblick an begann dieses drei Tage lang währende Schreien, das so furchtbar war, daß man es durch zwei Türen hindurch nicht ohne Entsetzen hören konnte. In dem Augenblick, als er seiner Frau antwortete, begriff er, daß er verloren war, daß es keine Rückkehr mehr gab, daß das letzte Ende gekommen war; die Zweifel aber waren nicht gelöst und mußten ungelöst bleiben.
»Uh! uuh! uh!« schrie er in verschiedenen Tonarten. Er hatte angefangen zu schreien: »Ich will nicht! Laßt mich in Ru-u-h!« und fuhr nun fort, dieses letzte »uh« zu schreien.
In all den drei Tagen, in denen es für ihn keine Zeitrechnung mehr gab, schlug er in jenem schwarzen Sack um sich, in den ihn eine unsichtbare, unüber-

windliche Gewalt hineinzwängte. Er schlug um sich, wie ein zum Tode Verurteilter unter den Händen des Henkers um sich schlägt, wenn er weiß, daß es keine Rettung mehr für ihn gibt; und mit jedem Augenblick fühlte er, daß er trotz aller Anstrengungen des Kampfes dem, was ihn entsetzte, näher und näher kam. Er fühlte, daß seine Qual nicht nur darin bestand, daß er sich in dieses schwarze Loch hineinzwängte, sondern auch darin, daß es ihm nicht gelingen wollte, sich hineinzuzwängen. Das Geständnis, daß sein Leben ein gutes gewesen, hinderte ihn daran, sich hineinzuzwängen. Diese Rechtfertigung seines Lebens behinderte ihn und ließ ihn nicht vorwärts kommen und quälte ihn am allermeisten. Plötzlich stieß ihn irgendeine Macht in die Brust, in die Seite, preßte seinen Atem noch mehr zusammen, er fiel in die Grube, und dort, am Ende der Grube leuchtete etwas auf. Ihm widerfuhr das, was er so oft im Eisenbahnwagen erlebt hatte, wenn man glaubt, vorwärts zu fahren, während man rückwärts fährt und plötzlich die eigentliche Fahrtrichtung wahrnimmt.

Ja, es war alles nicht das Rechte, sagte er sich, aber das tut nichts. Man kann, man kann *es* machen. Was denn *es*? fragte er sich und wurde plötzlich still. Das geschah gegen Ende des dritten Tages, zwei Stunden vor seinem Tod. Um diese Zeit schlich sich der Gymnasiast leise zu seinem Vater und trat ans Bett. Der Sterbende schrie noch immer verzweiflungsvoll und schlug mit den Armen um sich. Seine Hand traf den

Kopf des Knaben; der Knabe ergriff sie, drückte sie an die Lippen und begann zu weinen.

Gerade um diese Zeit fiel Iwan Iljitsch in die Grube, erblickte das Licht, und es offenbarte sich ihm, daß sein Leben nicht das gewesen war, was es sein sollte, daß es sich aber noch gutmachen ließ. Er fragte sich: Was denn *es*? wurde still und lauschte. Da spürte er, daß jemand seine Hand küßte. Er öffnete die Augen und erblickte den Sohn. Er verspürte Mitleid mit ihm. Seine Frau trat heran. Er sah sie an. Ihr Mund war geöffnet, Tränen, die sie nicht wegwischte, hingen ihr an der Nase und an den Wangen, und sie blickte ihn mit einem verzweifelten Ausdruck an. Ihm tat auch sie leid.

Ja, ich quäle sie alle, dachte er. Ich tue ihnen leid, es wird besser für sie sein, wenn ich sterbe. Er wollte das sagen, hatte aber nicht die Kraft, es auszusprechen. Übrigens, wozu denn sprechen, ich muß es tun, dachte er.

Er wies seine Frau durch einen Blick auf den Sohn hin und sagte: »Führ ihn weg … er tut mir leid … du auch …« Er wollte noch hinzufügen »verzeih«, aber er versprach sich und winkte, da er nicht mehr die Kraft besaß, sich zu verbessern, mit der Hand ab; er wußte: der es verstehen sollte, würde es verstehen.

Und plötzlich wurde ihm klar, daß das, was ihn quälte und nicht losließ, mit einem Mal von ihm abfiel: von beiden Seiten, von zehn Seiten, von allen Seiten. Sie taten ihm leid, er mußte aufhören, ihnen weh zu

tun. Er mußte sie und sich selber von diesen Leiden befreien. Wie gut und wie einfach das ist, dachte er. Und der Schmerz? fragte er sich, wo soll ich den hintun? Nun, Schmerz, wo bist du?
Er horchte in sich hinein.
Ja, da ist er. Nun, mag er dort bleiben. Und der Tod? Wo ist er? Er suchte seine frühere gewohnte Angst vor dem Tode und fand sie nicht mehr. Wo war der Tod? Es war keine Furcht mehr vorhanden, weil auch der Tod nicht mehr vorhanden war. Anstatt des Todes sah er ein helles Licht.
»Also so ist es!« sagte er plötzlich laut. »Welche Freude!«
Das alles vollzog sich für ihn in einem Augenblick, und die Bedeutung dieses Augenblicks änderte sich nicht mehr. Für die Anwesenden aber dauerte sein Todeskampf noch zwei Stunden. In seiner Brust brodelte etwas; sein abgezehrter Leib zuckte hin und wieder zusammen. Dann wurde das Brodeln und das Röcheln immer seltener und seltener.
»Es ist zu Ende!« sagte jemand über ihm.
Er hörte diese Worte und wiederholte sie in seiner Seele. »Der Tod ist zu Ende«, sagte er sich. »Er ist nicht mehr da.«
Er zog die Luft in sich ein, hielt mitten im Atemzug inne, streckte sich und starb.

Die von Jorge Luis Borges in 30 Bänden herausgegebene *Biblioteca di Babele* erschien im Verlag Franco Maria Ricci, Mailand. Die deutsche Erstausgabe wurde von der Edition Weitbrecht im K. Thienemanns Verlag, Stuttgart herausgebracht.

Gesetzt wurde der Text in der Excelsior und der Futura Bold bei Greiner & Reichel, Köln. Buchgestaltung und Herstellung: Anke Rosenlöcher, Frankfurt am Main. Umschlagillustration: Bernhard Jäger, Frankfurt am Main. Umschlag- und Einbandgestaltung: Angelika Richter, Heidesheim. Druck und Bindung: Friedrich Pustet KG, Regensburg. Printed in Germany 2007. ISBN 978-3-7632-5822-2. www.buechergilde.de / www.bibliothekvonbabel.de

QUELLENNACHWEIS

Andreev, Leonid, Lazarus (Eleazar)
Aus dem Russischen von Svetlana Geier
Aus: Leonid Andreev, Die sieben Gehenkten. Lazarus. Judas Ischariot

Dostojewskij, Fjodor M., Das Krokodil. Eine ungewöhnliche Begebenheit (Neobyknovennoe sobytie ili Passaz)
Aus dem Russischen von Arthur Luther
Aus: Fjodor M. Dostojewskij, Erzählungen
Winkler 1962.

Tolstoi, Leo N., Der Tod des Iwan Iljitsch (Smert' Ivana Il'ica)
Aus dem Russischen von Marie Stellzig
Aus: Leo N. Tolstoj, Volkserzählungen, Erinnerungen
Winkler 1961.